La naïade
en bleu

SALLY BRADFORD

La naïade
en bleu

HARLEQUIN

COLLECTION OR

Cet ouvrage a été publié en langue anglaise
sous le titre :
THE ARRANGEMENT

⟨H⟩ et HARLEQUIN sont des marques déposées de
Harlequin Enterprises Limited au Canada
Collection Or est la marque de commerce de
Harlequin Enterprises Limited.

© 1987, Sally Siddon and Barbara Bradford.
© 1988, Traduction française : Harlequin S.A.
48, avenue Victor-Hugo, 75116 Paris — Tél. : 45 00 65 00.
ISBN 2-280-07250-5 — ISSN 0223-467X

1.

D'un geste triomphal, Simon Talcott jeta le magazine ouvert sur le comptoir du bar.

— Voilà qui résout mon problème, Philip ! s'exclama-t-il en décochant à son compagnon une bourrade amicale. Dans un mois, je serai marié !

Ebahi, Philip Gentry reposa son cocktail et fit pivoter son tabouret pour se tourner vers son interlocuteur.

— Toi, marié ? Mais avec *qui*, pour l'amour du ciel ?

Un sourire mystérieux joua sur les lèvres de Simon.

— Imagine-toi que je ne le sais pas encore moi-même !

Philip leva les yeux au ciel.

— Simon ! Tu ne changeras donc jamais ! J'ai cru un instant que tu parlais sérieusement.

— Et tu ne te trompais pas ! Je n'ai jamais été aussi sérieux de ma vie.

— C'est ça, bien sûr ! grommela son compagnon.

Viens, essayons plutôt de trouver une table. Nous avons des affaires importantes à régler.

Avec un haussement d'épaules, Simon suivit Philip dans une petite salle annexe et ils s'installèrent à l'écart face à la fenêtre. San Francisco s'étalait à leurs pieds, dorée par la lumière chaude de l'après-midi finissant. Simon se renversa dans son fauteuil, un sourire amusé au coin des lèvres.

— Ainsi tu refuses de m'écouter, Philip. Ce n'est pas à mon ami d'enfance que j'ai affaire, mais à mon avocat, le respectable et distant maître Gentry.

— Les deux ne font qu'un, en l'occurrence, et l'avocat s'inquiète autant que l'ami. Ce qui t'arrive est grave, mon vieux. Et il faudra bien que tu te décides un jour ou l'autre à chercher une solution réelle au lieu de traiter ce problème comme une farce.

— Je ne dis pas le contraire, Philip. Et c'est précisément pour cette raison que je t'ai demandé de venir ce soir. Cette fameuse solution, je la tiens enfin ! Je te le répète : je vais me marier pour de bon afin de remplir cette maudite clause que mon père a fait inscrire dans les statuts de la société. C'est aussi simple que ça !

Philip haussa les épaules, refusant de prendre au sérieux ces déclarations d'intention dépourvues de fondement. Simon n'avait pas eu de relations stables avec une femme depuis longtemps et il ne pouvait tout de même pas prendre le risque d'épouser la première inconnue venue ! Quoi qu'il en soit, il courait droit à sa perte en se cantonnant dans cette attitude passive. Matthew Talcott avait pris, juste avant de mourir, cette disposition pour le moins particulière : si son fils devait encore être célibataire à l'âge de trente-cinq ans, l'usine familiale serait mise en vente au profit d'une institution de charité quelconque. Ainsi, dans moins d'un an, Simon qui dirigeait actuellement l'entreprise, perdrait à la fois sa source de revenus et sa raison de vivre.

Préoccupé, Philip passa la main dans ses cheveux déjà grisonnants. Il était grand temps de trouver une parade. Mais laquelle ? Il avait eu beau se creuser la tête depuis deux ans que le père de Simon était mort, aucune solution acceptable ne lui était venue à l'esprit.

Le bar se remplissait rapidement et le bruit de fond s'amplifiait autour d'eux. Cette rumeur sonore leur offrait l'isolement nécessaire pour aborder une discussion qui s'imposait depuis longtemps. Le moment était venu de regarder l'avenir en face et de trancher une fois pour toutes dans un sens ou dans un autre... Philip se tourna vers Simon d'un air déterminé.

— L'échéance approche, mon vieux. Et si tu ne prends pas les mesures nécessaires, les *Etablissements Talcott* seront mis en dépôt de bilan. Naturellement, tu peux toujours traîner l'affaire devant les tribunaux et il n'est pas du tout exclu que tu obtiennes satisfaction. Mais ce sera long, très long. Et tu auras les mains liées pendant toute la procédure. Autant dire qu'il ne restera pas grand-chose de l'entreprise une fois que tu auras gagné ton procès.

— En bref, ce n'est pas une solution! Nous pouvons d'ores et déjà éliminer cette possibilité. D'autant plus que j'ai beaucoup mieux que cela à te proposer, mon vieux Philip.

Simon ouvrit le magazine qu'il avait apporté et se pencha vers la lampe à abat-jour qui diffusait une lumière discrète.

— Ouvre grand les oreilles, et surtout ne m'interromps pas. Je crois vraiment que nous tenons là un élément de réponse.

Simon s'éclaircit la voix. En vérité, il aurait pu réciter le texte de mémoire. Il avait lu et relu la petite annonce tant de fois qu'il en avait enregistré la moindre virgule.

— « Avocate, célibataire, la trentaine, cherche homme entre trente et quarante ans, physique agréable, intelligent et esprit ouvert, en vue paternité. Envoyer...

— Paternité! Mais ce n'est pas...

— Hé, attends! Je n'ai pas fini. Où en étais-je?... Voilà. Envoyer un curriculum vitae avec photo et un certificat médical détaillé. Réponses B.P. 9406, *Bay City Magazine* ».

Les yeux au ciel, Philip termina d'un trait le reste de son cocktail.

— C'est une plaisanterie, j'espère?

Son ami tourna vers lui un regard exaspéré.

— Combien de fois faudra-t-il que je te répète que c'est sérieux, Philip? La date limite approche et je suis au pied du mur. Puisqu'une solution pratique s'offre, je vais la saisir. Un point c'est tout... Oh, cesse donc de me considérer de cet air incrédule, je t'en prie! Si tu as mieux à me proposer, j'attends tes suggestions avec impatience!

Philip exhala un soupir résigné. Personne jusqu'ici ne semblait prêter attention à eux mais Simon avait élevé la voix et l'ambiance était à l'orage. Or il n'avait pas la moindre envie de se donner en spectacle en se lançant dans une querelle retentissante! Puisque son ami semblait vraiment tenir à cette idée ridicule, il ne lui restait plus qu'à la développer et à en peser le pour et le contre, exactement comme s'il s'agissait d'une proposition raisonnable. Rien de plus simple que de mettre en évidence les points faibles de ce projet insensé...

— Très bien, admettons que tu ne plaisantes pas. Ta « solution », si on peut l'appeler ainsi, n'en demeure pas moins abracadabrante. Cette jeune femme cherche un géniteur et toi une épouse. Je ne vois vraiment pas en quoi vos besoins se rejoignent! Ton père n'a jamais exigé la paternité, que je sache!

Les traits tendus, Simon se versa une nouvelle rasade de scotch.

— Bon sang, Philip! Inutile de récapituler les clauses! Essaie de réfléchir: si cette avocate a placé une annonce, c'est qu'elle désire avoir un bébé, c'est clair. Or, pour ma part, il suffirait que je sois marié quelques mois pour déjouer les projets de mon père. Si elle est d'accord, nous procéderons à un échange de services et le tour sera joué!

Philip secoua la tête.

— Franchement, c'est ridicule! Tu sais pertinemment quel était le but de Matthew lorsqu'il a imposé cette condition. Pour lui, la famille était la valeur suprême, la seule chose qui rende la vie digne d'être vécue.

Philip se pencha vers son ami et posa sa main sur son bras en continuant de plaider avec force :

— A mon avis, ton père était parfaitement conscient que sa clause n'a pas une réelle valeur juridique. Il n'a pas vraiment voulu te contraindre, seulement te donner un petit coup de pouce dans ce qu'il pensait être la bonne direction. Si le mariage te répugne à ce point, attaque la disposition statutaire en justice ! Tout vaut mieux que de te prêter à une mascarade aussi sinistre.

— Pour perdre des mois ? Peut-être même des années ? s'exclama Simon. Il n'en est pas question, tu m'entends ! Depuis deux ans, la société est en plein essor, mon nouveau secteur jouet bat des records de vente ! Et tu voudrais que je laisse péricliter mes affaires pendant que la machine judiciaire se met lentement en branle ? Tu sais très bien ce que cela implique de se retirer ainsi du marché pendant quelque temps : la faillite assurée !

Philip scruta son visage décomposé par la colère d'un regard perçant.

— Tu es toujours furieux contre ton père, voilà pourquoi tu t'obstines à vouloir lui jouer ce mauvais tour. Mais le pauvre homme est dans la tombe depuis deux ans, Simon, et tu ne réussiras à punir que toi-même. Matthew n'était pas un tyran. Un peu autoritaire, peut-être, et avec des idées bien à lui. Mais il pensait agir pour ton bien.

Une fugitive lueur de tendresse éclaira les prunelles sombres de Simon.

— Je ne le nie pas, fit-il en soupirant.

Il lui fallait même admettre que le vieil homme lui manquait beaucoup plus qu'il ne l'avait prévu! Simon lui avait pardonné depuis longtemps sa manie de vouloir organiser le monde à sa façon. Mais que Matthew pousse le vice jusqu'à disposer de son existence même après son décès dépassait les bornes! Simon assena son poing sur la table.

— Je ne céderai pas à ce chantage, Philip. Point final. Il a voulu me contraindre par ce stratagème stupide et je répliquerai par une ruse qui l'est tout autant! Si je dois épouser une femme, ce sera parce que je l'aime et qu'elle m'aime. Et ceci en un temps et en un lieu que nous aurons choisis! Crois-tu vraiment que je réussirais à vivre à côté d'une femme qui ne saura jamais si je me suis marié avec elle par amour ou pour sauver mon entreprise? Ce serait sordide, ni plus ni moins.

Vaincu, Philip se renversa dans son fauteuil.

— Je comprends ce que tu ressens, Simon. Tout ce que Matthew aura obtenu, finalement, c'est de te détourner de ce mariage auquel il tenait tant. Chaque fois que tu as rencontré quelqu'un, ces dernières années, je t'ai vu prendre la fuite à cause de cette maudite clause.

Avec une vague sensation d'amertume, Simon se concentra sur la fenêtre, observant les lentes métamorphoses de la lumière déclinante qui inondait la ville d'un flot d'orange et de mauve. Il aurait tant voulu se consacrer à son travail au lieu de se battre pour contourner cette disposition ridicule. Qu'avait-il à perdre, après tout, en répondant à cette annonce? Si la jeune femme lui paraissait digne de confiance, ils passeraient un pacte et seraient tirés d'affaire l'un et l'autre. Pas de tribunaux, pas de procédures coûteuses, pas de tracas. Tout serait réglé avec un minimum de contraintes. Voilà ce qu'il devait essayer de faire comprendre à Philip...

Son avocat et ami, hélas, ne semblait guère disposé à se montrer coopératif. Bien au contraire, Philip le considérait d'un air sombre, comme s'il s'apprêtait à commettre la plus grosse erreur de sa vie!

— Je sais bien que le temps nous est désormais compté, Simon, mais il nous reste quand même un délai d'une année. Je suis certain que nous pouvons trouver une solution acceptable. Tiens, vendre, par exemple. Si nous nous y prenons bien, rien ne nous empêchera de conclure un arrangement à l'amiable qui assurerait ton avenir à la tête de la société. Le plus important n'est pas de détenir tout le capital et nous...

— Ah non, Philip, jamais! Il est exclu que je renonce, mets-toi bien cela en tête.

La voix de Simon se radoucit lorsqu'il ajouta avec une émotion voilée:

— Ce n'est pas comme si je produisais des chaussures ou des serviettes en papier. Lorsqu'on construit des meubles pour enfants, lorsqu'on leur invente des jouets, ce n'est pas seulement dans un but de rentabilité et tu le sais. Mon travail est toute ma vie, et il me passionne. Je suis fier d'avoir mis cette entreprise sur pied et je ne puis me résoudre à la perdre.

À court d'arguments, Philip se laissa lourdement retomber contre son dossier.

— Entendu, Simon. Il est clair que tu as envisagé la situation sous tous ses angles. Revenons donc à ton fameux projet : comment comptes-tu le mettre à exécution ?

Un large sourire éclaira les traits de Simon. Son ami se résignait enfin à l'écouter. C'était déjà un gigantesque pas en avant !

— Voilà : mon plan est à la fois simple et avantageux pour chacune des parties. Je réponds à l'annonce, je propose à cette jeune femme de m'épouser seulement pour quelques mois. Pour elle, cela ne peut qu'être appréciable de rendre ainsi son enfant légitime. Nous fixons par contrat une date de séparation qui mettra fin automatiquement au mariage et nous irons chacun de notre côté. Pas de drame, pas de disputes. Elle aura son bébé et moi les *Etablissements Talcott*.

— Le tout bien net et sans bavure, soupira Philip d'un air sceptique.

Saisissant le magazine abandonné sur la table, il relut le texte en secouant la tête.

— Franchement, Simon, je n'arrive pas à imaginer quel genre de femme a pu passer une offre aussi bizarre. Qu'est-ce qui te prouve d'ailleurs, qu'il ne s'agit pas d'une plaisanterie ?

— Bah... nous verrons bien. Qu'avons-nous à perdre ? Je ne risque pas grand-chose, si ce n'est de me rendre ridicule. Mais à mon avis, nous avons affaire à une gentille créature terriblement effacée, un peu effrayée par les hommes. La maternité la consolera de sa solitude.

13

— Si tu l'épouses, la créature en question sera en droit d'exiger une pension alimentaire. As-tu songé à cela?

— Parfaitement! De toute façon, j'envisage d'ouvrir un compte à l'intention de cet enfant. Je suis peut-être un opportuniste mais pas un rustre.

Philip le regarda droit dans les yeux.

— Tu as entendu les arguments de l'avocat, mais voici ceux de l'ami: te rends-tu compte que ce bébé sera le tien et qu'il te sera enlevé?

Une lueur d'incertitude traversa fugitivement les prunelles noires de Simon.

— J'ai réfléchi longuement à cet aspect de la situation. Mais cela ne présentera aucun problème, j'en suis certain. Cet enfant sera à elle et à elle seulement. Il n'y aura aucun investissement affectif de ma part.

— C'est précisément ce qu'affirmait Eileen lorsqu'elle est partie. Elle a claqué la porte en clamant haut et fort qu'il lui était tout à fait indifférent de ne jamais nous revoir, les garçons et moi. La maternité n'avait prétendument aucun sens pour elle. Tu connais la suite...

Alarmé par les inflexions douloureuses dans la voix de son ami, Simon se tut un instant. Le profil détourné, Philip contemplait sans les voir les lumières de la ville maintenant plongée dans la nuit. Se remettrait-il un jour du départ de sa femme? se demanda Simon, le cœur serré par la compassion. La plaie laissée par cette rupture brutale ne s'était jamais refermée, voilà pourquoi le jeune avocat réagissait avec une sensibilité excessive dès qu'il était question de couple et de paternité.

14

— Ecoute Philip, si Eileen a tout abandonné, c'est qu'elle avait de graves problèmes. Combien de fois déjà n'avons-nous pas abordé ce sujet ? Mais la situation sera entièrement différente en ce qui me concerne. Je ne m'engage pas à la légère, tu sais. J'ai longuement médité sur...

— Eileen aussi avait médité à loisir sur nos relations ! Elle avait décidé d'opérer une coupure nette, sans retour possible. Adieu le couple ! Adieu les enfants et bon vent ! Elle allait tout recommencer, reconstruire une existence en oubliant le passé. Mais cela n'a pas fonctionné du tout, Simon. Quelques mois plus tard, elle me suppliait de lui laisser Michael et Timmy.

Ebranlé, Simon secoua la tête.

— Tu n'ignores pas à quel point tout cela me touche, Philip, mais pourquoi établis-tu cette comparaison ? Eileen était devenue dépressive, irritable, instable. Ce qui n'est pas mon cas, tu es bien d'accord ? De plus, il y avait des liens très forts entre elle, toi et vos enfants. Moi je ne le verrai même pas, ce bébé ! Comment veux-tu que naisse le moindre attachement ?

— Et pourtant, je soutiens que ce serait jouer avec le feu ! Penses-tu que ce soit si facile de mettre fin à un mariage ?

— Il ne s'agira pas d'un mariage, que diable, mais d'un *arrangement* ! La nuance est tout de même de taille.

Avec un soupir résigné, Philip entama son deuxième cocktail.

— Autrement dit, rien ne te détournera de ce projet, c'est bien cela ?

— A moins que tu aies une autre solution à me proposer...

— Pas pour l'instant. Mais je continuerai à réfléchir.

Estimant que le débat était clos, Philip fit signe au serveur de lui apporter la note. Puis il sourit en se penchant de nouveau sur l'annonce.

— Bah, avec un peu de chance, elle aura déjà trouvé quelqu'un d'autre, s'exclama-t-il avec bonne humeur. D'ailleurs, rien ne prouve que tu satisferas à ses exigences. Voyons... pour l'ouverture d'esprit, cela devrait aller. Mais le physique agréable ? La beauté ?.

Simon éclata de rire.

— L'avenir nous le dira, mon cher ! Et en tout cas, merci d'avoir eu la patience de m'écouter.

Les deux hommes se séparèrent à la sortie de l'établissement. Simon laissa son ami s'éloigner avant de sortir de sa poche une enveloppe adressée au *Bay City Magazine*. Sourcils froncés, il prit une carte de visite dans son portefeuille et la glissa à l'intérieur. Il s'apprêtait à la cacheter lorsqu'il suspendit son geste. L'annonce précisait clairement que les postulants à la paternité devaient joindre à la fois un curriculum vitae et un certificat médical. Indécis, il s'attarda un instant sur le trottoir.

Un curriculum vitae ! Quoi de plus fastidieux à rédiger, de plus sinistre à lire ? Jamais encore, il n'avait eu l'occasion d'en écrire un et il n'avait pas la moindre envie de commencer aujourd'hui !

Avec un sourire résolu, il ferma l'enveloppe. Si cette demoiselle avocate avait le moindre sens de

16

l'humour, elle s'intéresserait peut-être à cette candidature pas comme les autres. Et si elle n'en avait pas, tant pis pour lui. De toute façon, le projet entier n'était qu'un coup de dés… Alors autant s'en remettre au hasard jusqu'au bout !

Juliet Cavanaugh considéra d'un œil sceptique la carte de visite posée sur son bureau. L'adresse sur l'enveloppe avait été griffonnée à la hâte, nota-t-elle, sourcils froncés. Audace, clin d'œil ou insolence ? Elle avait reçu une vingtaine de dossiers complets à la suite de son annonce, et pourtant c'était ce simple carton avec un nom et un numéro de téléphone qui mobilisait son attention !

J. Simon Talcott… Un homme qui savait s'entourer de mystère, assurément. Le premier réflexe de la jeune femme fut de jeter le tout à la corbeille, mais elle se ravisa au dernier moment et glissa le papier dans son agenda. Pendant une semaine entière, Juliet laissa sa décision en suspens. Et puis, brusquement, sa curiosité l'emporta. Pourquoi ne pas relever le défi et convoquer aussi ce candidat original ? Après tout, elle avait pris de plus grands risques dans sa vie !

Le rendez-vous fut fixé. Trois jours plus tard, avec une vague appréhension, Juliet vit J. Simon Talcott pénétrer dans son cabinet…

Ce sera lui ! comprit-elle aussitôt, avec une certitude déconcertante. Mais cette sensation de vertige ne dura qu'une fraction de seconde. Résolue à ne rien laisser percer de cette conviction pour le moins prématurée, elle l'invita à entrer de son ton le plus professionnel.

17

— Monsieur Talcott, je présume? Asseyez-vous, je vous en prie.

Mais Simon Talcott ne bougea pas d'un millimètre. Figé sur le pas de la porte, il se caressait le menton, incapable de dissimuler sa surprise. Il n'avait connu que deux avocates dans sa vie. L'une était une féministe acharnée, plus austère qu'une religieuse dans un couvent, et l'autre une petite femme rondelette d'une cinquantaine d'années avec des lunettes à double foyer. Or si on lui avait annoncé que la femme qui se tenait devant lui était un mannequin top model, il l'aurait cru sans une seconde d'hésitation.

— Vous êtes bien Juliet Cavanaugh? s'enquit-il, incrédule.

— Mais oui. C'est moi.

— Si je m'étais attendu à cela! laissa-t-il échapper tout bas.

Juliet réprima un sourire. Elle était habituée à ce type de réaction de la part des gens qui la voyaient pour la première fois. Et que le séduisant Simon Talcott soit sensible à son charme n'était certainement pas pour lui déplaire...

— Ne voulez-vous pas entrer? fit-elle en désignant d'un geste gracieux le fauteuil en face de son bureau.

A nouveau maître de lui, Simon acquiesça avant de fouler d'une démarche assurée les quelques mètres carrés de moquette qui le séparaient de son interlocutrice. Une façon comme une autre de voir son visage de plus près! Il était d'ailleurs difficile d'en détacher le regard lorsqu'on s'était risqué à le

18

poser sur lui une première fois. Des traits fins, des pommettes hautes, un nez délicat et droit et une peau de rousse, fine, pâle, presque translucide. Et brusquement, il vit ses yeux. Des yeux extraordinaires, d'une nuance de vert juste un peu plus sombre que l'émeraude mais avec le même éclat de pierre précieuse...

Reprenant ses esprits, il serra brièvement la main qu'elle lui tendait et un sourire presque narquois joua un instant sur ses traits.

— Je dois vous avouer que vous ne ressemblez en rien au portrait que je m'étais fait de vous, Miss Cavanaugh.

— Il faut toujours se méfier des a priori, monsieur Talcott, répliqua-t-elle d'un ton léger.

Juliet avait été aussi agréablement surprise par son allure et son physique que lui semblait l'avoir été par les siens. Mais c'était une observation qu'elle préférait garder pour elle! La jeune femme avait déjà reçu une douzaine de candidats à la suite de son annonce et avait vu défiler quelques imposteurs, des jeunes gens trop beaux à la recherche d'une « protectrice » fortunée, des plaisantins hilares et même quelques postulants sérieux. Mais aucun d'entre eux n'avait éveillé en elle le moindre intérêt. Simon Talcott était différent. En quoi exactement, elle n'aurait su le dire, mais sa présence transformait la pièce. Contrairement aux autres, ce n'était pas à l'avocate qu'il s'adressait mais à la femme en elle et ce fait seul était infiniment troublant.

Luttant pour garder son masque d'impassibilité,

la jeune femme croisa les mains sur son bureau. Simon, pendant ce temps, sortait de la poche intérieure de son veston une coupure soigneusement pliée.

— C'est bien vous qui avez fait passer cette annonce dans le *Bay City Magazine*?

Notant qu'il fronçait les sourcils, Juliet se raidit imperceptiblement. Jusqu'à cet instant précis, son projet lui avait paru parfaitement logique et simple. Mais elle se voyait soudain à travers les yeux de cet inconnu à la mine désapprobatrice et son assurance vacillait.

— Oui, c'est moi, répondit-elle d'une voix sèche.

— Pourquoi?

Il était resté debout devant elle et Juliet eut la soudaine impression de se trouver face à un juge.

— Il me semble que le texte était formulé en termes clairs, monsieur Talcott.

— Il y est question de paternité.

— C'est exact.

Les deux mains posées à plat sur son bureau, Simon se pencha pour scruter intensément son visage.

— Savez-vous ce que cela implique, Miss Cavanaugh?

Elle eut un petit rire.

— Mais oui. Si cela vous choque, pourquoi êtes-vous venu?

Simon commençait à se le demander lui-même. Lorsqu'une semaine s'était écoulée sans qu'il reçoive de réponse, il avait fini par considérer son

20

idée de « génie » comme une folie sans lendemain. Si bien qu'au moment où elle lui avait enfin fixé un rendez-vous, il avait beaucoup perdu de son enthousiasme initial. Et à présent que cette jeune femme resplendissante se tenait devant lui, son projet lui apparaissait plus que jamais comme une aberration mentale !

Non, il ne parvenait à comprendre ce qui avait pu pousser une femme comme Juliet Cavanaugh à passer une annonce pareille. A moins que... Peut-être agissait-elle tout simplement pour le compte de quelqu'un d'autre, après tout ! Avec une nonchalance calculée, Simon se laissa tomber dans un fauteuil.

— Et maintenant, Miss Cavanaugh, jouons cartes sur table. A qui, exactement, servez-vous d'intermédiaire ?

Interloquée, Juliet l'observa.

— Je ne comprends pas ce que vous voulez dire.

— Qui est votre cliente ? La dame qui désire avoir un enfant ?

Juliet hésita un instant. Mais à quoi bon mentir ?

— En l'occurrence, monsieur Talcott, j'opère en mon propre nom.

Pendant quelques secondes, Simon la regarda fixement. Puis il éclata de rire. Le feu aux joues, la jeune femme se redressa.

— Mon initiative vous paraît-elle à ce point comique, monsieur Talcott ?

— Assez, oui ! Pas à vous ?

— Absolument pas !

Simon secoua la tête. Que diable manigançaitelle, franchement ? S'il avait eu affaire à la créature pâle et effacée qu'il s'attendait à rencontrer, tout aurait été clair. Mais Juliet Cavanaugh était une beauté, une femme à commettre des ravages dans le premier cœur masculin venu ! Etait-elle complètement naïve ? Ou s'agissait-il d'un quelconque coup monté ? Et dans ce cas, quel profit comptait-elle en retirer ? Non, décidément, cette femme représentait pour lui un mystère total. Et il était bien résolu à ne pas sortir de ce cabinet avant de l'avoir éclairci !

— Ainsi vous désirez un enfant, Miss Cavanaugh. N'avez-vous jamais songé à l'adoption ?

— Ce serait trop long. De plus, je tiens à ce que l'enfant soit de moi. Croyez-moi, monsieur Talcott, je n'ai pas pris cette décision à la légère.

— Et l'insémination artificielle ?

Les joues de Juliet s'empourprèrent.

— Il est important pour moi de savoir qui est le père.

— Choisissez le donneur, dans ce cas.

— On ne peut jamais être certaine, s'exclamat-elle, agacée. Et le système me répugne, si vous voulez toute la vérité !

Simon se pencha vers elle, ses yeux noirs rivés aux siens.

— Et que pensez-vous, mademoiselle, du sentiment communément appelé « amour » ? D'autre part, vous avez peut-être entendu parler également de la respectable institution nommée « mariage » ?

Piquée au vif, Juliet le fusilla du regard. De toute évidence, il cherchait à lui faire perdre contenance, à la tester. Or, c'était à elle que revenait ce rôle ! Si Simon Talcott espérait avoir le dernier mot avec elle, il se trompait.

— En tant qu'avocate spécialisée dans les affaires de divorce, je suis en contact étroit avec cette institution, en effet. Et j'ai quotidiennement l'occasion de voir ce que devient le sentiment que vous venez d'évoquer au bout de quelques années de vie commune ! Il y a exactement vingt ans que j'ai pris la décision de ne pas tomber dans ce piège et je n'ai pas rencontré un couple depuis qui ne m'ait confortée dans cette résolution. Voilà. Est-ce tout ce que vous désiriez savoir ?

Simon écouta cette déclaration sans se démonter. Dieu sait pourtant que cette nouvelle donnée modifiait la situation. S'il apprenait à la jeune femme dans quel but il avait répondu à son annonce, elle le renverrait avec fracas ! Il faudrait qu'il fasse preuve d'une diplomatie exemplaire s'il voulait voir son projet aboutir, songea-t-il, fourbissant ses armes. Pour commencer, il s'agissait de déterminer ce qu'elle pensait exactement du mariage. Et cela avant de risquer la moindre proposition hasardeuse !

— Avez-vous déjà été mariée, Miss Cavanaugh ?

— Jamais, monsieur Talcott.

— Qu'est-ce qui vous rend si amère, dans ce cas ? Je croyais que n'importe quelle femme était disposée à tenter l'expérience au moins une fois.

Les yeux de Juliet lancèrent des éclairs.

— Je ne suis pas « n'importe quelle femme »,

vous m'entendez? Je suis avocate et le divorce est en quelque sorte mon pain quotidien. Je peux vous certifier que les drames auxquels je me trouve confrontée jour après jour suffisent amplement à me décourager.

L'explication était incomplète, estima-t-il aussitôt. Il devait y avoir une raison cachée, autrement plus décisive.

— Vous m'avez confié avoir pris cette décision il y a vingt ans. Or, vous n'étiez pas encore avocate à cette époque, si je ne m'abuse.

— C'est exact, monsieur Talcott, mais là n'est pas la question. Nous sommes ici pour passer un marché et non pas pour philosopher sur le couple et ses bienfaits. Parlons affaires, voulez-vous? De ce point de vue, ma position est très claire : je veux un enfant à trente ans, je veux connaître le père, et je me refuse à assumer une relation longue durée avec celui-ci. C'est aussi simple que cela.

Parfait! songea Simon. Il existait bel et bien un point commun entre eux : il leur fallait à chacun un compagnon temporaire. Autrement dit, un arrangement *devait* être possible. Du bout des doigts, il pianota sur le bureau.

— Il ne s'agit donc pas d'un jeu pour vous, mais d'un projet longuement mûri, observa-t-il pensivement.

— Je suis heureuse de vous voir *enfin* convaincu, monsieur Talcott.

Juliet croisa nerveusement les jambes. Cet homme était vraiment impossible! Même si, d'instinct, elle avait porté son choix sur lui dès le premier instant, elle n'en demeurait pas moins sur ses gardes. Tous les autres postulants avaient joué le jeu et s'étaient comportés comme des demandeurs d'emploi face à un éventuel futur employeur. Ils s'en étaient remis à elle, attendant son jugement. Mais Simon Talcott avait su sans effort renverser les rôles. C'était lui qui l'avait assaillie de questions jusqu'ici, lui qui avait conduit l'entretien ! Et elle se surprenait à demeurer suspendue à ses lèvres à attendre patiemment qu'il poursuive l'interrogatoire !

— Eh bien, Miss Cavanaugh, puisque vous semblez décidée à aller jusqu'au bout de cette périlleuse entreprise, le plus simple serait peut-être que nous nous appelions par nos prénoms, qu'en pensez-vous ?

Il ne manquait pas d'audace ! Et pourtant... mesurant pour la première fois les implications de leur pacte, Juliet ne put s'empêcher de sourire. Même si leurs relations devaient rester éphémères, il était impensable de concevoir un enfant ensemble en continuant à user des cérémonieux « monsieur » et « mademoiselle » !

Le rire mélodieux de la jeune femme mit un terme à la tension entre eux. Invinciblement attirés, leurs regards se rencontrèrent et restèrent un instant rivés l'un à l'autre. Elle lui tendit la main.

— Moi, c'est Juliet, annonça-t-elle d'une voix douce.

Il serra longuement ses doigts entre les siens.

— Voilà qui est beaucoup mieux. Je m'appelle Simon.

Fascinée, Juliet scruta ses traits comme si elle commençait seulement à le voir vraiment. Des lèvres pleines qui s'ouvraient sur un sourire perpétuellement narquois, des yeux vifs et une masse de cheveux noirs encadrant un visage anguleux, presque émacié. Etait-il beau au sens classique du terme ? Elle n'aurait su le dire. Pris un à un, les différents éléments n'avaient rien d'extraordinaire et pourtant il émanait de l'ensemble une incroyable séduction.

Impossible de nier qu'il exerçait sur elle une puissante attirance qu'elle avait le plus grand mal à maîtriser... La jeune femme se demanda fugitivement si elle ne s'aventurait pas sur un terrain dangereux. A priori, elle estimait nécessaire qu'il existe un certain magnétisme entre elle et le père de son futur enfant. D'un autre côté, si Juliet avait choisi de s'adresser à un inconnu, c'était précisément dans le but d'éviter toute interférence affective ! Elle avait envisagé tout d'abord d'avoir recours à un de ses amis ou même, pourquoi pas, à un de ses anciens amants. Mais la situation aurait été moins nette. Or, ce bébé, Juliet le voulait à elle et rien qu'à elle...

Juliet sursauta en constatant que Simon tenait toujours sa main dans les siennes. Elle se dégagea d'un geste brusque. Il s'agissait avant tout d'un entretien. Et il était pour le moins paradoxal que son candidat ait réussi à passer une demi-heure dans son cabinet sans parler une seule fois de lui-même !

— Vous connaissez mes intentions à présent. A

votre tour de m'expliquer pourquoi vous avez répondu à mon annonce, Simon.

L'espace d'une seconde, il hésita. Comment réagirait-elle s'il lui disait la vérité, tout simplement? Juliet Cavanaugh semblait avoir les pieds sur terre. Qui sait si elle n'accepterait pas en toute simplicité? Mais non, sa phobie du mariage la conduirait vraisemblablement à lui désigner la porte sur-le-champ. Optant pour la prudence, Simon décida de lui confier la seconde raison qui l'avait poussé à se rendre au rendez-vous.

— Une immense curiosité, voilà tout.

— C'est tout? Rien que la curiosité?

— Quel autre motif pourrais-je avoir? A propos, je suppose que je ne suis pas le seul postulant. Qu'est-ce qui a amené mes concurrents à réagir à votre proposition peu ordinaire?

— L'argent, principalement. La plupart espéraient une rémunération substantielle et...

— Ce n'est pas possible! l'interrompit-il, sidéré. Vous voulez dire que vous allez *payer* pour ce service!

Le visage de Juliet se ferma.

— Vous avez une façon fort déplaisante d'exprimer les choses, monsieur Talcott. N'oubliez pas que vous êtes ici pour défendre votre candidature. Puisque vous n'avez pas envoyé de curriculum vitae, je présume que vous avez l'intention de m'apporter verbalement les précisions nécessaires.

Simon haussa les épaules. Juliet Cavanaugh avait le don de le décontenancer. L'air entre eux était chargé de tension; l'attirance avait été immédiate et réciproque, cela ne faisait pas l'ombre d'un doute. Alors pourquoi cette sécheresse de ton, cette attitude réservée ? De toute évidence, Juliet s'appliquait à maintenir entre eux la plus grande distance possible, comme si le « service » qu'elle demandait devait se passer dans l'anonymat le plus complet. Etrange...

Simon Talcott, si tu avais le moindre bon sens, tu tournerais les talons à l'instant même et tu oublierais cette femme au plus vite. Mais ce fameux bon sens, il semblait déjà l'avoir perdu. En vérité, l'idée de couper définitivement les ponts lui paraissait même insoutenable ! Et pas seulement à cause des *Etablissements Talcott...* Quoi qu'il en soit, faire plus ample connaissance avec Juliet était une chose ; se soumettre à son interrogatoire en était une autre. Et Simon n'avait aucune intention de se prêter à cette formalité. Un sourire mi-tendre mi-ironique erra sur ses lèvres.

— Vous avez ma carte avec mon nom, mon numéro de téléphone et mon adresse. Je n'en sais pas plus sur vous...

— Mais, monsieur Talcott...

— Simon, fit-il, imperturbable.

Avec une nonchalance délibérée, il rectifia le nœud de sa cravate et se leva.

— Si vous voulez plus d'informations, je suis certain que vous disposez des ressources nécessaires pour les obtenir, Juliet.

Sur ces mots jetés avec désinvolture, il se dirigea à grands pas vers la porte. Juste avant de sortir, Simon ne put s'empêcher de jeter un coup d'œil par-dessus son épaule. Il se figea net. La jeune femme avait les yeux rivés sur lui et dans ses prunelles vertes, il lut une vulnérabilité inattendue. Elle était déçue, comprit-il, étrangement troublé. Et pourtant, il était bien décidé à laisser planer un certain mystère sur sa personne. De toute façon, si la jeune femme ne s'intéressait pas suffisamment à lui pour se renseigner, elle n'accepterait pas non plus ses conditions. Or, si Juliet poursuivait un but bien déterminé, lui avait aussi le sien. Et il ne s'en laisserait détourner sous aucun prétexte!

La jeune femme se leva et il lutta contre la tentation de retourner vers elle et de la prendre dans ses bras. Pourquoi ne pas tirer un trait sur ce qui venait de se passer? Il pourrait l'inviter à dîner le soir même et ils oublieraient ce marché idiot... Mais non, il était déjà trop tard. Tant de choses avaient été dites entre eux qui ne pouvaient plus être effacées...

— Je ne sais pas qui est la Juliet dissimulée derrière cette façade, murmura-t-il d'une voix rauque, les doigts crispés sur la poignée. Je ne suis même pas certain que je l'apprécierais...

— Cela aurait-il une importance?

— Une *très* grande importance.

Déjà il sortait dans le couloir lorsqu'il tourna les talons une fois de plus.

— Quand vous aurez rassemblé sur moi les renseignements nécessaires et que vous vous sentirez prête pour une conversation sérieuse, n'hésitez surtout pas à m'appeler, Juliet.

— Au revoir, monsieur Talcott, rétorqua-t-elle, glaciale.

— Au revoir, Miss Cavanaugh.

Simon s'éloigna à contrecœur. Mais il avait confiance. Il entendrait de nouveau parler de Juliet Cavanaugh. Il ne pouvait tout simplement en être autrement !

2.

Juliet se réveilla le lendemain matin avec une étrange sensation d'allégresse. Elle avait trouvé son candidat! Son projet hasardeux prenait donc tournure, malgré tout. Certes, la jeune femme ne disposait encore d'aucun renseignement sur Simon Talcott, mais son instinct lui disait qu'elle ne découvrirait rien de fondamentalement négatif à son sujet. Alors pourquoi ne pas mettre d'ores et déjà en œuvre la seconde phase de son plan?

Il fallait bien que quelqu'un prenne son cabinet en main pendant son congé maternité. Et Linda Burke avec qui elle avait partagé un appartement pendant ses années d'études était la personne tout indiquée. Son amie s'était d'ailleurs portée volontaire à plusieurs reprises pour collaborer avec elle. Cette fois, le moment était venu de la prendre au mot!

Le visage de Linda s'éclaira d'un large sourire lorsque Juliet se présenta à l'improviste chez elle.

— Juliet! Quelle bonne idée d'être venue! Entre vite.

La jeune femme déposa un baiser amical sur la joue de son ancienne camarade d'université. Tant de souvenirs la liaient à Linda! Celle-ci lui entoura les épaules et l'entraîna dans le hall avant d'inspecter d'un regard admiratif son tailleur commandé chez un couturier parisien.

— Quelle élégance, Juliet! On reconnaît en toi la jeune avocate brillante et prospère. Je suis presque jalouse, tu sais, avec ma tenue banale de mère de famille dévouée!

— C'est précisément pour cette raison que je suis là. Finie la vie de femme d'intérieur, ma chère. Je viens te proposer de t'associer avec moi.... Tu es toujours d'accord, au moins? s'enquit-elle, vaguement inquiète.

— Moi? *Et comment!* C'est tout simplement merveilleux, Juliet! Je meurs d'envie de me remettre enfin à la tâche! Viens vite, je vais te préparer un thé pour fêter la nouvelle.

Juliet traversa à sa suite la vaste maison où Steve et Linda vivaient depuis leur mariage. D'un œil soudain plus attentif, elle nota les jouets épars sur la moquette, le biberon oublié sur la table basse. Tout dans cet intérieur portait la marque des enfants. Dans un an ou deux, si tout se passait bien, le même joyeux désordre régnerait dans son propre appartement!

— Où sont donc passés tes enfants, Linda? s'enquit-elle, étonnée par l'inhabituel silence.

D'un mouvement de tête énergique, son amie rejeta en arrière sa courte chevelure brune.

— Tu as manqué Jennie de justesse. Elle est partie à l'école à l'instant. Et le bébé est sur la terrasse. Il dort, par miracle. Alors profitons vite de ce répit pour discuter! s'exclama-t-elle en la précédant dans la cuisine. Les plages de calme ne sont jamais très longues dans cette maison.

Juliet ne put s'empêcher d'observer son amie à la dérobée pendant qu'elle disposait les tasses sur un plateau. Rien dans la silhouette de Linda ne trahissait qu'elle avait mis au monde deux enfants. Elle était toujours aussi mince, aussi alerte et gracile qu'au temps où elle travaillait activement pour se faire un nom au barreau. Linda avait revendu son cabinet lorsqu'elle s'était mariée mais avec l'idée bien arrêtée de se remettre au travail dès que possible. Et il était grand temps qu'elle cesse un peu de pouponner pour consacrer son inépuisable énergie à des tâches plus lucratives! estima Juliet. Linda était trop extravertie et entreprenante pour se satisfaire longtemps d'une vie de femme au foyer.

Elles sortirent au soleil sur la terrasse et Juliet se laissa choir dans un fauteuil à bascule face au paysage. La ville apparaissait au loin, derrière le moutonnement des collines.

— Alors, Juliet, qu'est-ce qui t'a décidée à faire appel à moi? s'enquit Linda, pleine de curiosité. Un surcroît de travail?

— En partie... Mais la vraie raison est ailleurs. J'ai eu énormément de réponses à mon annonce. Et je crois que je viens de trouver un père pour mon enfant, Linda...

Cette dernière ouvrit de grands yeux.

— Juste ciel! Tu as donc bel et bien mis ton projet à exécution! J'étais prête à parier que tu perdrais courage à la vue du premier candidat de la liste!

— J'avoue que cela a failli être le cas, en effet, admit-elle en souriant. Mais la dernière entrevue a été tout à fait concluante, en définitive!

Linda était la seule à qui elle ait fait part de ses intentions, la seule capable de comprendre plutôt que de juger. Et pourtant même elle semblait avoir de la peine à croire qu'elle irait jusqu'au bout!

— Eh bien... Le moins que l'on puisse dire, c'est que tu as de la suite dans les idées, commenta son amie d'un ton incrédule. Raconte-moi tout, maintenant! Je veux un portrait détaillé de l'heureux élu.

Un sourire penaud se dessina sur les lèvres de Juliet.

— Tu vas hurler, Linda, mais je ne sais strictement rien de lui, sinon qu'il s'appelle Simon Talcott et qu'il est président du conseil d'administration d'une quelconque entreprise répondant au nom de « *Etablissements Talcott* ».

— Comment ça? C'est tout! Je croyais que tu avais exigé un curriculum vitae complet et un certificat médical.

— Simon s'est contenté d'envoyer une carte de visite. C'est osé, n'est-ce pas? J'ai hésité longtemps avant de le contacter... Mais je ne regrette rien. Dès que je l'ai vu, j'ai su que ce serait lui et pas un autre.

34

— Juliet! Je suis stupéfaite que tu agisses avec tant de légèreté! Tu ne peux pas te lancer ainsi avec quelqu'un dont tu ne connais même pas les anté-cédents.

La jeune femme porta tranquillement sa tasse de thé à ses lèvres.

— Rassure-toi, ma chère. J'ai déjà contacté Harry.

Linda poussa un soupir de soulagement.

— Parfait. Harry Mechum, notre grand détec-tive! C'est l'homme de la situation, en effet. En l'espace de deux jours, il pourra même te préciser la couleur de sa première barboteuse... Quoi qu'il en soit, ce n'est pas l'essentiel du problème. Trou-ver un père fiable est facilement réalisable, après tout! Mais as-tu songé au travail que cela re-présentera pour toi de te trouver seule avec un enfant en bas âge? C'est presque un emploi à plein temps, tu sais. Moi, j'ai Steve pour m'aider, mais toi, tu n'auras personne. As-tu bien mesuré à quel point ce sera harassant?

Juliet ne répondit pas tout de suite. Combien de fois n'avait-elle pas médité sur les heurs et mal-heurs de la mère célibataire? Elle se rendait par-faitement compte des difficultés. Mais son entou-rage avait adopté une attitude tout aussi négative le jour où Juliet avait décidé de voler de ses propres ailes dès la fin de ses études. Personne qui ne lui ait conseillé d'entrer comme avocate stagiaire dans un cabinet déjà constitué. Et néammoins, la jeune femme avait réussi! Toute seule. Sans l'aide de quiconque. Alors pourquoi pas cette fois-ci?

Juliet se leva lentement pour avancer jusqu'au bord de la terrasse.

— Devrais-je me priver du bonheur d'être mère pour la simple raison que je refuse de me marier ? s'enquit-elle d'une voix tendue.

Linda qui l'avait suivie posa une main sur son épaule.

— Etre enceinte est l'expérience la plus belle qu'une femme puisse vivre, Juliet. Mais mettre une annonce pour faire cet enfant me paraît… comment dire ? un peu froid… A ce propos, qu'est devenu ton ami, comment s'appelait-il déjà ? Sam ou George, ou je ne sais pas qui ?

— David ?

— Voilà, David ! Vous vous entendiez plutôt bien, toi et lui. Et il a l'avantage de ne pas être un parfait inconnu. Pourquoi ne pas le demander à un être qui t'est proche ?

Juliet réfléchit un instant, le regard perdu par la fenêtre. Encore aujourd'hui, sa relation avec David demeurait un mystère à ses yeux. Il était beau, séduisant, ouvert et cultivé, et elle aurait été bien en peine de lui trouver un quelconque défaut ! Et pourtant aucune intimité véritable n'était née entre eux. L'ennui s'était installé insidieusement, jusqu'à ce que leurs sentiments s'étiolent d'eux-mêmes, sans qu'il y ait eu de rupture à proprement parler… Juliet se tourna vers Linda en souriant.

— Je crois que, sans le savoir, tu as mis le doigt sur le problème. J'ai fréquenté David pendant plus de deux ans et tu as dû le voir un nombre incalculable de fois. Or, tu ne te souviens même plus de son prénom !

36

Linda éclata de rire.

— Tout le contraire de l'homme inoubliable, donc! Et toi tu cherches un père extraordinaire pour avoir un enfant à son image. Enfin... Tu sais que j'ai toujours respecté tes initiatives, Juliet. Mais méfie-toi tout de même. Tu as décidé de mettre ton projet à exécution. Et cela afin d'éviter les contraintes, pour que ce bébé ne soit qu'à toi. D'un autre côté, cependant, tu choisis le candidat qui te trouble et qui t'attire le plus. Tout ce que j'espère, c'est que cette contradiction ne se retournera pas contre toi...

Juliet allait répliquer lorsqu'un gazouillis s'éleva en provenance du landau placé tout près d'elles. Linda se leva aussitôt.

— Finie la tranquillité, Paul se réveille! Oh mon Dieu, et voilà que le téléphone sonne en même temps! Occupe-toi de lui, veux-tu? Je tâcherai d'abréger la conversation.

Le cœur étreint par une singulière émotion, Juliet se pencha vers l'enfant. Dès qu'il la vit, Paul agita ses petits bras tandis qu'un sourire ravi éclairait son visage rond. Il parut satisfait lorsqu'elle le prit dans ses bras avec mille précautions. Paul avait grandi depuis sa dernière visite, mais il paraissait si fragile encore!

Elle s'installa avec lui dans le fauteuil à bascule et le berça doucement sans cesser de lui parler à voix basse. Il s'abandonna contre elle, si chaud, si confiant, ses grands yeux bleus braqués sur les siens comme s'il écoutait avec attention. Son odeur si particulière de bébé monta à ses narines, la remplissant d'une sorte de ravissement.

Bientôt, ce serait son propre enfant qu'elle serre-rait ainsi contre elle! Emerveillée par cette pers-pective, Juliet laissa errer ses pensées sur Simon. Sa haute silhouette adossée au chambranle, tel qu'elle l'avait vue pour la première fois... Un frisson la parcourut tout entière.

Juliet releva la tête lorsque la porte-fenêtre s'ou-vrit pour livrer passage à Linda.

— Eh bien, vous voilà déjà amis, tous les deux! s'exclama la jeune femme avec un sourire. Tu feras une bonne mère, Juliet. Même si tu vis ta maternité de façon un peu particulière... A propos, comment comptes-tu annoncer la nouvelle à la future grand-mère?

— Bah... Je lui exposerai les faits tels qu'ils sont. Tu connais Christie, c'est une originale. Pour elle, il n'y a pas de normes qui tiennent. Chacun doit organiser son existence comme il l'entend. Avec une philosophie pareille, ma mère ne devrait pas se montrer choquée outre mesure. Et puis, elle sera ravie d'avoir enfin un petit-fils ou une petite-fille, si tu veux mon avis.

Les yeux de Linda scintillèrent d'enthousiasme.

— Pas aussi ravie que moi de redevenir une femme active. Et c'est vraiment une aubaine d'en-trer dans un cabinet qui tourne si bien. Le mien n'a jamais dépassé le stade des premiers balbutie-ments, si l'on peut dire. A part être commise d'office pour des cas relevant de la charité pure et simple...

Calant le bébé sur ses genoux, Juliet se frappa le front en consultant sa montre.

— Mon Dieu, Linda, quelle chance que tu abordes ce sujet ! J'ai justement un rendez-vous à onze heures avec une femme qui m'a été envoyée directement par l'assistante sociale du quartier. Je n'y pensais plus du tout.

Linda secoua la tête.

— Ainsi tu continues à plaider pour des gens qui n'ont pas un centime en poche ! Et cela, alors que tu es déjà débordée. C'est de la folie, franchement.

Linda se pencha pour prendre Paul tandis que Juliet se levait. La jeune femme lissa rapidement les plis de sa jupe en jersey de laine tout en répliquant avec nonchalance :

— Parfois on peut aider ces gens sans que cela prenne beaucoup de temps... Et puis c'est un de ces cas apparemment sans issue qui ont marqué le véritable début de ma carrière. C'est tout de même grâce à l'affaire Baker que j'ai eu mon nom dans tous les journaux !

Linda lui entoura affectueusement les épaules.

— Avoue donc simplement que tu as le cœur sur la main, petite sotte ! Ce n'est pas une honte d'être généreuse, après tout. Pour ma part, je serai nettement moins charitable, je te préviens. Prendre une nurse à domicile coûte une fortune ! Tu ferais d'ailleurs bien d'y penser car tu auras le même problème.

— C'est entendu ! fit Juliet en riant. Je vais devenir âpre au gain pour défendre ma progéniture, comme toute bonne mère qui se respecte ! Mais trêve de bavardage, il faut que je me dépêche ! Quand puis-je espérer te voir dans mon cabinet ?

— Je pourrais venir un ou deux jours par semaine dès maintenant afin de me mettre progressivement dans le bain, qu'en dis-tu?

— C'est vrai? Tu es d'accord pour débuter tout de suite? C'est merveilleux, chère associée! Je t'appellerai pour que nous fixions une date, alors!

Sur ces mots, Juliet embrassa son amie, câlina une dernière fois le bébé et se dirigea au pas de course vers sa voiture. Son projet commençait vraiment à prendre forme! songea-t-elle avec exaltation. En route, elle récapitula mentalement les affaires en cours, se demandant lesquelles elle confierait à Linda. Les moins compliquées, tout d'abord, et surtout celles pour lesquelles le plaignant avait de l'argent sur son compte en banque! De toute évidence, la jeune femme n'avait pas l'intention de travailler seulement pour la gloire. Elle-même avait de leur vocation commune une conception un peu différente...

Et Simon, quelle serait son optique? se surprit-elle à s'interroger. Troublée, Juliet se mordit la lèvre. Il était décidément bien difficile d'éloigner de ses pensées ce M. Talcott... Aucune espèce de sentiment pourtant ne devait entrer en ligne de compte dans cet arrangement. C'était la base même du contrat, le principe fondamental de son entreprise! Bah... De toute façon, il lui fallait d'abord voir Harry avant d'échafauder des projets et se perdre en rêveries. Et en attendant, il convenait de se libérer l'esprit afin d'être entièrement disponible pour sa nouvelle cliente...

Lorsque Juliet pénétra dans son bureau cepen-

40

dant, hors d'haleine d'avoir gravi l'escalier quatre à quatre, elle ne trouva personne dans sa salle d'attente, hormis sa secrétaire.

— Si je comprends bien, mon rendez-vous de onze heures a été annulé à la dernière minute, fit-elle en jetant sa mallette sur un fauteuil.

Alice releva la tête de sa machine à écrire.

— Oh ! mais pas du tout, Miss Cavanaugh. La jeune femme est arrivée avec une heure d'avance. au contraire. Elle était tellement tendue que je l'ai autorisée à s'asseoir dans votre bureau. Après m'être assurée que tous vos tiroirs étaient fermés à clé, bien entendu.

— Pouvez-vous me passer sa fiche, Alice ? J'aimerais y jeter un coup d'œil avant de lui parler.

Une expresssion contrariée se dessina sur le visage de son employée.

— Je la lui ai remise et elle l'a emportée avec elle. Mais je doute qu'elle l'ait remplie. Elle n'a même pas voulu me donner son nom.

Juliet leva les yeux au ciel.

— Voilà qui commence bien, marmonna-t-elle en reprenant sa serviette en cuir.

Seule dans le bureau de l'avocate, la jeune femme se tenait très droite sur sa chaise, les yeux obstinément rivés sur la fenêtre. Depuis combien de temps attendait-elle ? Elle n'aurait su le dire. Il y avait bien longtemps déjà qu'elle avait dû vendre la montre en or que son mari lui avait offerte pour son vingt-cinquième anniversaire. Les mains de la jeune femme se crispèrent sur sa jupe. Pour la dixième fois, elle vérifia sa tenue. Elle avait eu une si belle garde-robe, à l'époque! Son tailleur était encore correct, mais au fil des années, il avait beaucoup perdu de son élégance, constata-t-elle en retournant les poignets élimés d'un geste furtif.

Une rumeur de conversation dans la salle d'attente attira son attention. L'avocate était arrrivée! D'une main tremblante, elle sortit son poudrier de son sac à main. *Tout à fait présentable*, estima-t-elle. Son maquillage avait tenu et dissimulait efficacement ses cernes. Non sans mal, elle se força à sourire. *Cela devrait aller*. Il était vital qu'elle produise bonne impression si elle voulait avoir gain de cause. D'un mouvement vif, elle porta un bonbon à la menthe à sa bouche et prit une profonde inspiration.

Sur le qui-vive, elle ne put s'empêcher de sursauter lorsque la porte s'ouvrit. L'avocate était encore très jeune! nota-t-elle avec inquiétude en froissant dans sa main le billet de vingt dollars qu'elle avait préparé. Serait-elle à la hauteur, au moins?

Juliet détailla sa cliente d'un coup d'œil rapide. Il n'était pas rare que les gens soient crispés à leur première visite mais la femme qu'elle avait sous les yeux l'était plus que toute autre. Avec un sourire chaleureux, Juliet lui tendit la main. L'inconnue se leva d'un mouvement brusque en marmonnant quelques syllabes inaudibles.

— Bonjour. Je suis Juliet Cavanaugh. Venez donc vous asseoir sur·le canapé, ce sera plus confortable.

Sans un mot, la frêle créature traversa la pièce à sa suite et s'installa sur l'extrême bord du coussin. Elle commença par poser son sac à main par terre, se ravisa, le plaça sur la table et finalement le serra sur ses genoux. Devant ces signes d'extrême nervosité, Juliet renonça d'emblée à se servir du carnet sur lequel elle avait l'habitude de prendre des notes. Le plus urgent était de la mettre en confiance et de l'amener à parler.

— Et si vous commenciez par me donner votre nom ? suggéra-t-elle gentiment.

La jeune femme se raidit.

— Non... Du moins, tant que je ne serai pas certaine que vous consentirez à m'aider.

— Comme vous voudrez... Expliquez-moi en quoi je puis vous être utile, alors.

— Je veux récupérer mes bébés, fit-elle d'une voix brisée.

Pour la première fois depuis qu'elle était entrée, elle soutint le regard de Juliet. Un tel désespoir transparaissait dans ses prunelles d'un bleu très pâle que la jeune femme sentit son cœur se serrer.

— Combien d'enfants avez-vous, madame ?

— Deux, murmura-t-elle en détournant les yeux.

— Et où sont-ils ?

— Avec mon mari.

Elle répondait à présent d'un ton neutre, détaché, presque absent. Comme si l'affaire concernait quelqu'un d'autre... Juliet insista patiemment.

— Etes-vous divorcée ?

Sa visiteuse secoua la tête.

— Y a-t-il eu intervention de la justice? A-t-on accordé le droit de garde à votre mari?

De nouveau, elle se contenta d'un signe imperceptible de dénégation. Juliet prit une profonde inspiration. Il fallait qu'elle trouve un moyen pour la faire sortir de sa réserve, sinon elle ne parviendrait jamais au moindre résultat. Cela dit, il était peu vraisemblable qu'elle puisse l'aider en quoi que ce soit, mais son interlocutrice semblait tellement seule, tellement perdue, que Juliet n'avait pas le cœur de l'éconduire sans un mot d'explication.

— Depuis combien de temps la séparation a-t-elle été prononcée? interrogea-t-elle d'une voix chaleureuse.

— Nous ne sommes *absolument* pas séparés!

L'inconnue avait prononcé ces mots avec indignation, nota Juliet. Parfait. Cette attitude légèrement agressive constituait déjà un progrès par rapport à son excessive passivité de naguère. Juliet se rapprocha de sa cliente dans l'espoir de faciliter la conversation et perçut aussitôt un faible relent d'alcool, efficacement masqué par des effluves de menthe. *C'était donc cela...* Le langage, les manières, la tenue de la jeune femme indiquaient qu'elle avait évolué longtemps dans un milieu aisé. Pour une raison ou pour une autre, elle avait dû commencer à boire et son mari l'avait vraisemblablement rejetée. Schéma classique du naufrage d'un couple... Prise de compassion, Juliet posa un instant la main sur le poignet frêle et tremblant de sa cliente.

— Si vous voulez que je vous aide, il faudra me

44

faire confiance, madame. Je vous assure que rien de ce que vous direz ne sortira de ces murs.

La jeune femme lui décocha un sourire contraint.

— Je… je vais essayer…

Le regard obstinément fixé sur ses genoux, elle commença à raconter d'une voix brisée :

— Je suis partie l'année dernière, un jour d'été. Mon mari n'était pas rentré de la semaine et la solitude me rendait à moitié folle. Je ne le voyais presque plus, vous comprenez ? Jamais, il n'avait la moindre minute à me consacrer !.

— Et vous n'êtes jamais retournée depuis ?

— De temps en temps, au début. Mais ces derniers mois, je… Je n'ai pas pu. Mes enfants, mes tout-petits, cela me déchire d'être loin d'eux ! Mais rien n'est plus comme avant lorsque je vais là-bas. Et lui me surveille constamment, m'interdit de les prendre avec moi, même pour quelques heures. C'est tellement injuste…

Les lèvres serrées, elle baissa la tête et se tut un long moment. Lorsqu'elle releva ses yeux bleu pâle vers Juliet, ses joues ruisselaient de larmes.

— Je veux les ramener chez moi. Je veux être de nouveau leur maman et non plus une étrangère à peine tolérée dans la maison.

Juliet se mordit les lèvres. Toute la misère morale du monde semblait personnifiée dans cette créature frêle et prématurément vieillie. Et ce n'était pas la première fois que Juliet avait cette impression. Encore un couple déchiré, des enfants ballottés d'un parent à l'autre, généralement soumis à un terrible chantage affectif… Et personne n'était vraiment coupable, personne n'était vraiment cruel ou mauvais. C'était simplement ainsi que se terminaient une grande partie des mariages, Juliet était hélas bien placée pour le savoir...

— Pourquoi votre mari ne vous les laisse-t-il pas pour quelques jours ? la pressa-t-elle, bien que la réponse fût aisée à deviner...

Pendant un long moment, la visiteuse demeura silencieuse puis elle murmura d'une voix à peine audible :

— Il... il estime que je ne suis pas capable de m'en occuper...

Ainsi, elle consentait à lui parler franchement. Décidée à jouer cartes sur table, Juliet jeta sans préambule :

— C'est à cause de votre problème de boisson, n'est-ce pas ?

La jeune femme tressaillit comme si Juliet l'avait giflée. Allait-elle nier ou se mettre en colère ? Préparée à une réaction violente, Juliet ne fut pas peu surprise lorsqu'elle acquiesça d'un air las.

— C'est venu à la fin, dans les dernières années de mon mariage. Je me sentais tellement seule lorsqu'il restait dormir en ville. Les enfants tombaient souvent malades, il fallait les soigner, m'en occuper jour et nuit. Jamais, je n'avais de temps pour moi. J'essayais de lui parler, de lui faire comprendre. Mais sans aucun résultat.

Elle leva vers Juliet un regard suppliant, comme un appel à l'aide.

— Au lieu de discuter, il m'envoyait chez des psychiatres. Mais aucun de ces cachets qu'ils me prescrivaient ne m'apportait le moindre soulagement… Tout ce qui comptait pour mon mari, c'était son travail. Il me reprochait mon ingratitude, voyez-vous. Cela lui semblait tellement inconvenant que j'ose me plaindre alors qu'il gagnait tant d'argent. Mais l'argent n'a jamais guéri personne de la solitude, ajouta-t-elle dans un sanglot étouffé. Il a décidé alors que nous aurions un deuxième enfant. C'était le meilleur moyen de me distraire, disait-il. Mais cela n'a servi qu'à aggraver les choses. J'étais à bout…

La jeune femme se prit la tête entre les mains.

— Je n'en pouvais plus, conclut-elle d'une voix étranglée.

— Est-ce pour cette raison que vous êtes partie ? Simplement parce que vous ne supportiez plus ce genre d'existence ?

Elle croisa nerveusement les mains sur ses genoux.

— Pas tout à fait, avoua-t-elle, les yeux baissés. Un jour, je me suis mise en colère contre mon aîné et je l'ai secoué rudement en le cognant contre un mur.

Juliet réprima un frisson.

— L'avez-vous blessé ? s'enquit-elle en se forçant à garder un ton neutre.

— Non. Mais cela aurait pu être le cas… Et j'ai eu une réaction de terreur lorsque je me suis rappelé cet épisode le lendemain matin. Je ne pouvais plus avoir confiance en moi ! J'ai pensé que si mon mari l'apprenait, il m'enverrait à l'hôpital comme il avait menacé de le faire à plusieurs reprises. Alors j'ai jeté en hâte quelques affaires dans une valise et j'ai quitté la maison.

Juliet lui tendit la boîte de mouchoirs en papier.

— Désirez-vous entamer une procédure de divorce, madame?

Une grande tristesse transparut dans le regard de sa cliente. Elle secoua la tête.

— Tout ce que je veux, c'est retrouver mes enfants.

— Et votre mari?

— Je ne sais pas, soupira-t-elle en tordant le mouchoir entre ses doigts.

— Vous envoie-t-il de l'argent?

— Parfois.. mais je travaille également comme serveuse, ajouta-t-elle.

Découragée, Juliet rejeta en arrière ses cheveux auburn. Il lui fallait bien s'avouer son impuissance. Sa cliente, hélas, n'avait pas frappé à la bonne porte. C'était d'un thérapeute qu'elle avait besoin, pas d'une avocate. Certes, Juliet avait la possibilité d'entreprendre une démarche auprès des tribunaux afin d'obtenir une garde partagée des enfants. Mais ce serait moralement inadmissible tant que la jeune femme ne serait pas guérie de son alcoolisme.

Mais comment lui conseiller d'entreprendre une démarche auprès d'un psychiatre? Cela ne servirait qu'à l'offusquer. Le seul point positif était l'attitude du mari. De toute évidence, il n'avait pas cherché à se débarrasser d'elle puisqu'il n'avait pas demandé le divorce. Peut-être était-ce de ce côté-là qu'il fallait chercher une solution.

— Je crois que nous devons procéder par ordre

et surtout ne rien brusquer, suggéra-t-elle avec prudence. Pourquoi n'essayeriez-vous pas de contacter votre conjoint pour discuter ensemble de votre problème ? Si vous réussissez à parvenir à un accord sans passer par les tribunaux, ce sera beaucoup moins douloureux pour vos enfants.

Manifestement atterrée, son interlocutrice se leva d'un geste brusque.

— Il ne voudra pas m'écouter de toute façon.

— Il est pourtant vital que vous fassiez au moins une tentative, plaida Juliet.

Sans un mot, la jeune femme lui tendit le billet chiffonné qu'elle serrait entre ses doigts depuis le début de l'entretien. Juliet l'accepta, sachant d'expérience que ses conseils prendraient plus de poids s'ils donnaient lieu à un paiement.

— Si vous désirez un complément d'informations, n'hésitez pas à revenir, proposa-t-elle gentiment.

La jeune femme marmonna un assentiment indistinct tout en se hâtant vers la porte. Un profond découragement s'était emparé d'elle. Cette avocate ne semblait pas vouloir la juger, elle paraissait même prête à l'aider dans la mesure de ses moyens. Mais elle n'avait rien de concret à lui proposer, c'était clair. Personne n'était capable de la conseiller, et elle ne devait compter que sur elle-même. Elle était si lasse, pourtant. Bah... Elle s'arrêterait dans un café en sortant. Un remontant lui ferait du bien.

Demeurée seule, Juliet sentit un poids peser sur ses épaules. Avec des gestes d'automate, elle prit une nouvelle boîte de mouchoirs en papier dans un placard et la plaça sur la table basse. C'était le mariage qui avait brisé cette femme. Une victime de plus à ajouter sur sa liste... Pour elle, cependant, ce serait différent. Son enfant n'aurait peut-être pas de père mais il ne serait pas déchiré dans un conflit conjugal. Il ne risquerait pas de se trouver soudain abandonné par l'un de ses parents, cette forme supérieure de la trahison...

Avec un haussement d'épaules, Juliet chassa son accablement. Avant de mettre son plan à exécution, il lui fallait quelques renseignements supplémentaires sur Simon Talcott. Et elle n'avait pas l'intention d'attendre une seconde de plus! Une visite à Harry Mechum s'imposait d'urgence...

3.

Le cœur battant d'impatience, la jeune femme s'engouffra dans l'escalier qui menait au fief d'Harry. L'immeuble était vieux, sombre et il y régnait une odeur bien particulière, un mélange de fumée de cigare accumulée depuis des années et des émanations des produits utilisés dans le salon de coiffure en bas.

Avec un sourire amusé, Juliet se remémora sa déception lorsque, toute jeune avocate, elle était venue ici pour la première fois. Elle qui, dans sa naïveté, s'était attendue à un immeuble ultramoderne avec d'épaisses moquettes en laine et un jeune détective aussi séduisant et viril que les héros des séries télévisées! Quel choc lorsqu'elle avait pénétré dans le petit bureau encombré où le maître des lieux, un individu replet, mâchonnait un cigare en fixant sur l'arrivante un regard morne et désenchanté! Pendant tout le temps où la jeune femme lui avait exposé son problème, il s'était contenté de ponctuer ses explications par des grognements tout à fait incompréhensibles...

Juliet était repartie furieuse, persuadée qu'elle n'entendrait plus jamais parler de lui. Or, quelques jours plus tard, il l'avait appelée pour lui livrer d'une voix impassible le résultat de son investigation : l'homme sur qui portait l'enquête menait depuis plusieurs années une vie de parfait bigame, avec deux identités, deux épouses, deux villas et des enfants dans chaque foyer ! La presse s'était emparée aussitôt de cette incroyable histoire et c'était ainsi que Juliet avait acquis une certaine notoriété... Depuis lors, elle avait placé en Harry Mechum une confiance qu'il n'avait jamais déçue.

Lorsque Juliet poussa la porte vitrée, elle le trouva les pieds balancés sur le bureau, son éternel cigare à la bouche.

— Ah ! vous voilà, vous, grommela-t-il sans s'embarrasser de manières. Vous tombez bien. Je viens de terminer le rapport que vous avez commandé sur le dénommé Talcott.

Il tendit à la jeune femme une photo découpée dans un journal.

— Tenez, le voici en personne, votre M. Talcott. Il est beau garçon, n'est-ce pas ? Votre cliente n'a pas de chance. Aucune femme sensée ne songerait à divorcer d'un homme pareil.

Juliet ne put s'empêcher de sourire, ravie de ce jugement ! Sur le cliché on voyait Simon en maillot à la proue d'un voilier, brandissant fièrement une coupe.

— En effet, il est assez séduisant, acquiesça-

52

t-elle avec une feinte indifférence. Parlez-moi un peu de lui, monsieur Mechum. Il fait de la voile, de toute évidence. Mais encore?

— C'est un amateur de sensations fortes, semble-t-il. Il a piloté son propre avion, s'est essayé à la compétition automobile. Mais depuis la mort de son père, il a abandonné toutes ses activités sportives pour se consacrer presque exclusivement à son travail.

Harry se tut pour compulser ses notes et entreprit de les lire à voix haute avec une lenteur qui mit la jeune femme à la torture.

— Voyons... Simon Talcott, le troisième du nom. Age trente-quatre ans. En aura trente-cinq le dix mars prochain.

Parfait, approuva Juliet en silence.

— Né à Boston. Scolarité normale. A obtenu en fin d'études le diplôme du fameux Institut de Technologie du Massachusetts.

— Très bien. Continuez, monsieur Mechum, l'encouragea-t-elle, sans parvenir à dissimuler sa curiosité.

— Voyons... Son père est décédé il y a deux ans. Sa mère, Amelia, soixante-cinq ans, vit encore à Boston. Il a une sœur, Sheila, mariée avec deux enfants et établie dans le Connecticut.

Ainsi Simon avait été conçu lorsque sa mère avait trente ans, calcula la jeune femme avec un sourire en coin. C'était plutôt bon signe!

— ...Simon, lui, est resté célibataire, poursuivit Harry d'un ton monocorde avant de s'interrompre net.

Il décocha à Juliet un regard interrogateur.

— Je me souviens maintenant que ce cas m'a intrigué. Comment ce Talcott peut-il se séparer de qui que ce soit s'il n'a jamais épousé personne ?

Juliet arqua un sourcil.

— Souvenez-vous de notre pacte, monsieur Mechum. Je ne vous demande pas comment vous obtenez vos informations et vous ne posez pas de questions sur la façon dont je les utilise.

— C'est juste, bougonna-t-il, manifestement déçu. Où en étais-je ? Ah oui… Pas de scandales particuliers dans sa vie sentimentale. C'est un individu plutôt sérieux, apparemment. Il a beaucoup fréquenté une femme il y a quelques années mais elle est mariée à présent avec un autre. Ses affaires l'accaparent, semble-t-il.

— C'est justement ce dont je voulais m'enquérir. Quelle est donc cette société qu'il dirige ?

Harry qui s'était nonchalamment balancé sur sa chaise jusqu'ici, se leva d'un mouvement solennel et se pencha vers elle par-dessus son bureau.

— C'est là que notre homme devient intéressant, annonça-t-il d'un air mystérieux en lui soufflant au visage la fumée de son cigare.

Juliet toussota en agitant la main devant ses yeux mais ce signe de protestation passa, bien entendu, complètement inaperçu.

— Dépêchez-vous, monsieur Mechum, pour l'amour du ciel, l'exhorta-t-elle, excédée par ce suspense.

D'un geste emphatique, il pianota du bout des doigts sur la coupure de journal.

— Cet homme, Miss Cavanaugh, vaut de l'or ! Et quand je dis de l'or, il ne s'agit pas de quelques modestes millions. M. Simon Talcott est presque milliardaire, ma chère !

Abasourdie, Juliet détacha les yeux de la photo de Simon pour regarder Harry. Un milliardaire ! Elle comprenait mieux à présent pourquoi il avait paru amusé lorsqu'elle avait parlé de rémunération ! Et cela rendait d'autant plus étonnant le fait qu'il ait répondu à son annonce... Par curiosité, avait-il dit. Mmm... Bizarre. Mais elle avait beau se creuser la tête, Juliet ne parvenait pas à lui trouver un autre motif un tant soit peu logique.

— Comment se fait-il que Simon... je veux dire M. Talcott soit déjà en possession d'une telle fortune alors qu'il n'a que trente-quatre ans ?

— Il a repris l'entreprise familiale à la mort de son père. Il a su faire prospérer les affaires, en deux ans.

Juliet se leva pour arpenter le bureau d'une démarche nerveuse.

— Et dans quelle branche d'activité se situe-t-il ? s'enquit-elle, en se demandant s'il serait un riche diamantaire, un magnat du pétrole ou un armateur.

— Dans le mobilier pour enfants, précisa Harry d'un ton laconique.

Juliet s'immobilisa pour lui jeter un coup d'œil incrédule.

— Des meubles pour enfants ? Devient-on milliardaire par ce biais-là ?

— Puisque je vous le dis, Miss Cavanaugh ! Il les conçoit d'ailleurs lui-même pour la plupart. Il semble qu'il ait occasionné une petite révolution dans ce domaine. Vous vous souvenez peut-être de la publicité qui est passée à la télévision l'année dernière juste avant les fêtes de Noël ? Vous savez, ce robot surnommé Hugo qui assemblait différents meubles à partir d'un nombre réduit d'éléments de base.

Afin de stimuler la mémoire de la jeune femme, Harry entreprit de déambuler dans le bureau, les jambes raides, comme un automate, en émettant de petits sons grinçants. Avec son costume mal coupé, il avait plutôt l'air d'un pingouin, se dit Juliet en se retenant de pouffer.

— Cela me revient ! s'exclama-t-elle. « Saks, le meuble qui grandit en même temps que votre enfant ! ».

— Bravo, c'est cela ! Voyons... Passons au rapport médical, à présent. C'est bien la première fois que vous me demandez une chose pareille, cela dit. Est-ce que... ?

— Monsieur Mechum !

— C'est entendu, grommela-t-il. Je ne poserai aucune question. Votre Talcott est d'ailleurs en parfaite santé.

— Etes-vous formel, monsieur Mechum ? Avez-vous vérifié très scrupuleusement ? C'est important, vous savez.

— Miss Cavanaugh ! Vous est-il arrivé une *seule* fois d'avoir à vous plaindre de mes services ? riposta-t-il d'un ton lourd de reproches. Je peux vous assurer qu'il a subi un examen complet pour une histoire d'assurance, il y a tout juste quelques mois.

Et il a été testé, examiné, contrôlé des pieds à la tête.

— Aucune anomalie n'a été détectée, vous en êtes certain?

— Je viens de vous dire qu'il était en pleine forme! Que voulez-vous de plus? Un certificat signé directement de la main de son médecin traitant?

Mais Juliet avait cessé d'écouter. Elle exultait! Simon serait sans conteste le père rêvé! Son esprit scientifique équilibrerait harmonieusement sa nature plus littéraire. Il était élégant, distingué sans être pédant et surtout... incroyablement attirant. S'il n'avait pas changé d'avis depuis leur entretien, Juliet serait mère dans moins d'un an...

— Vous avez été plus efficace que jamais, monsieur Mechum! le complimenta-t-elle avec effusion.

Juliet se sentait des ailes! Comme elle se levait d'un bond après avoir salué Harry d'un signe de main, celui-ci s'éclaircit la voix.

— Euh... vous oubliez de me payer, Miss Cavanaugh.

— Oh! mon Dieu! Excusez-moi.

Elle se hâta d'établir un chèque et le lui tendit. Harry fronça les sourcils.

— Tiens... c'est beaucoup plus que ce vous me versez d'habitude. Et il est à débiter sur votre compte personnel et non pas professionnel.

Juliet lui décocha un sourire sibyllin.

— C'est exact. Vous êtes un très bon détective, monsieur Mechum.

—. Mais vous n'avez pas l'intention de lâcher un mot de plus sur cette affaire, c'est bien cela ?

— C'est exact, monsieur Mechum… et ne vous dérangez surtout pas. Je connais le chemin. Au revoir !

Pour la première fois depuis une bonne dizaine d'années, Juliet dévala l'escalier quatre à quatre. Le cœur battant, elle s'immobilisa devant une cabine téléphonique. Puisque sa résolution était prise, autant appeler Simon sur l'heure pour fixer un nouveau rendez-vous ! Ce fut le jeune homme lui-même qui répondit. Elle prit une profonde inspiration :

— Allô ? Ici Juliet Cavanaugh.

Pendant quelques secondes, ce fut le silence à l'autre bout de la ligne. *Oh ! seigneur, il m'a complètement oubliée !* songea-t-elle, mortifiée. C'est alors seulement que sa voix légèrement teintée d'ironie résonna à ses oreilles.

— Tiens, tiens… Vous vous êtes donc décidée, Juliet. Non pas sans accumuler les précautions, cela dit. Il semble que j'ai été l'objet d'une enquête tellement approfondie que même le F.B.I. n'aurait pas fait mieux.

Juliet tressaillit. *Maudit Harry ! Lui qui avait coutume de vanter sa discrétion légendaire…*

— Oh, c'était une simple formalité, balbutia-t-elle. J'espère que cela ne vous a pas trop perturbé.

— En vérité, ce soudain intérêt pour ma personne n'est pas passé inaperçu. Mon banquier a même téléphoné à ma mère pour essayer de savoir si je m'apprêtais à travailler pour la C.I.A !

Juliet éclata de rire, heureuse qu'il prenne les choses avec tant d'humour.

— Eh bien, Simon, si mon offre vous intéresse toujours, vous pourriez peut-être passer à mon cabinet afin que nous discutions des modalités du contrat ?

De nouveau, il y eut un long silence. Il devait consulter son agenda, conclut-elle. *Faites qu'il puisse se libérer dans les jours qui viennent!* Elle avait préparé tous les papiers et Simon n'aurait plus qu'à signer. Ensuite... ensuite, ils verraient bien comment ils s'organiseraient, se dit-elle, les joues en feu..

— Etes-vous dans votre bureau ?

Juliet sursauta.

— Euh non... je suis en ville. J'avais une petite affaire à régler. Je...

— Parfait, l'interrompit-il. Dans ce cas, j'aime-rais autant que vous passiez ici. Je serai disponible dans une demi-heure.

— Mais ce n'est pas possible ! protesta-t-elle, décontenancée. Je n'ai pas le contrat sur moi.

Il lui sembla entendre un rire étouffé à l'autre bout du fil.

— Je ne suis pas certain que nos transactions aient déjà atteint ce point d'aboutissement, observa-t-il d'un ton sibyllin. Avez-vous l'adresse de ma société sur vous ?

— Eh bien oui, mais...

— Parfait. A tout de suite alors, trancha-t-il en raccrochant.

Eberluée par sa propre docilité, Juliet se vit héler un taxi et donner l'adresse de Simon. Tandis que le véhicule avançait au pas, ralenti par les embouteillages de fin d'après-midi, la jeune femme eut tout le loisir de méditer sur le phénomène bizarre qui l'avait conduite à obtempérer aussi facilement! Ce Simon Talcott était, sans conteste, doué d'une autorité naturelle dont il lui faudrait se méfier comme de la peste...

Troublée, elle appuya le front contre la vitre. Ils empruntaient à présent une allée tranquille bordée de sycomores dans un des quartiers anciens de la ville. Juliet fut agréablement surprise par le bâtiment en brique de style colonial qui abritait les bureaux de Simon. Aucun rapport avec les constructions laides et sans âme qui poussaient comme de vilains champignons dans les banlieues industrielles!

Sous le charme, Juliet pénétra dans un vaste hall d'exposition où des meubles aux formes ingénieuses avaient été disposés et regroupés pour former des chambres d'enfants de tous âges. Tous étaient démontables et les différents éléments se combinaient à l'infini. Ainsi une partie du berceau se retrouvait dans une boîte à jouets, puis dans un chevalet et finalement terminait son existence sous forme de meuble stéréo.

La jeune femme fut interrompue dans sa contemplation par l'arrivée de la réceptionniste. Dès qu'elle se fut présentée, celle-ci lui indiqua le bureau de Simon en lui assurant qu'il la rejoindrait dans quelques minutes.

Juliet réprima une exclamation incrédule en franchissant la porte du domaine privé de Simon. L'endroit ressemblait plus à une salle de jeu qu'à un cabinet de travail! N'importe quel enfant se serait cru transporté au paradis en pénétrant dans ce lieu brillamment coloré où avions, cerfs-volants et planeurs pendaient au plafond au-dessus d'un joyeux amoncellement de jouets ultra-sophistiqués. Impossible d'imaginer un homme d'affaires évoluant dans un cadre pareil! Non, décidément, Simon Talcott n'était pas un homme comme les autres. Et elle avait le pressentiment qu'il lui réservait encore quelques surprises de taille...

Poussée par la curiosité, Juliet s'aventura dans la pièce. En contournant une immense table à dessin, elle trébucha sur une voiture de sport miniature. Seigneur, quel sympathique désordre! Amusée, elle se pencha pour la ramasser et sursauta lorsque les phares s'allumèrent à ce simple contact. S'assurant d'un coup d'œil que personne ne l'observait, elle s'agenouilla afin d'examiner le jouet de plus près. Ah voilà! Une commande à distance, c'était l'instrument qu'il lui fallait. Elle actionna une touche et les deux portières s'ouvrirent simultanément tandis que le klaxon se mettait en marche!

Ravie, Juliet enfonça un autre bouton et le véhicule démarra à la vitesse du vent pour aller heurter de plein fouet l'un des tréteaux.

— Zut!

A quatre pattes, Juliet rampa sous la planche pour récupérer l'objet perdu. Ce fut dans cette position peu habituelle que Simon la surprit en revenant de sa réunion. Amusé, il se figea sur le pas de la porte, prenant garde de ne pas faire de bruit. Complètement absorbée, la jeune femme se remit à jouer avec une spontanéité qui le laissa pantois. Comme elle était différente de la trop sérieuse avocate qui l'avait reçu dans son cabinet ! Elle paraissait presque fragile ainsi, féminine et vulnérable. La beauté désarmante de cette femme soudain redevenue enfant provoqua en lui un long frisson d'émotion.

— Je vois que vous appréciez ma nouvelle création ! commenta-t-il en avançant d'un pas.

Juliet tressaillit, rouge d'embarras.

— Simon ! Que faites-vous ici ?

— C'est mon bureau, vous savez ! Il n'est pas dans mes habitudes de frapper avant d'entrer chez moi !

Un sourire contrit joua sur les lèvres de la jeune femme.

— Bien sûr, pardonnez-moi. Je... j'examinais vos collections... A ce propos, je suis étonnée de voir tant de jouets, enchaîna-t-elle en hâte. Je croyais que vous produisiez des meubles seulement.

— Depuis la mort de mon père, j'ai étendu nos activités. Mais venez, je vais vous montrer l'atelier.

Sur la défensive, la jeune femme se raidit.

— Une autre fois, merci. Je suis venue parler affaires.

— Eh bien, justement, parlons un peu des miennes !

Il s'avança pour la prendre fermement aux

épaules. Levant les yeux, Juliet rencontra un regard amical et chaleureux, presque tendre.

— Vous savez, Juliet, les adultes aussi ont le droit de jouer. Il n'y a pas lieu d'avoir honte.

Ainsi il ne l'avait pas trouvée ridicule! Soudain plus détendue, elle lui rendit son sourire.

— J'avoue que c'est un univers totalement neuf pour moi. Je ne possédais aucun jouet quand j'étais petite. Ma mère était tout à fait opposée à ce genre de distraction.

— Elle s'opposait aux jouets! Mais quel genre de mère avez-vous donc?

— Christie estime que les enfants doivent utiliser leurs propres resssources pour se divertir, expliqua-t-elle en riant. Elle a toujours eu des théories un peu spéciales.

— Christie est votre mère? Vous l'appelez par son prénom?

— Eh bien, oui. Je ne me souviens pas qu'il en ait jamais été autrement.

— Grands dieux! Si je m'avisais de faire de même avec la mienne, elle s'évanouirait sur-le-champ! Mais suivez-moi, maintenant. Il est grand temps que vous combliez les lacunes de votre enfance.

Renonçant à protester, Juliet se laissa entraîner de bon cœur. Cinq minutes plus tard, elle l'aidait à construire un parcours pour voitures de courses et se familiarisait avec les infinies possibilités qu'offre la commande à distance. Simon l'observait avec fascination. Assise en tailleur, sa large jupe en corolle autour d'elle, ses mèches auburn dansant autour de son visage souriant, elle ressemblait si peu à l'avocate distante et austère dont il avait gardé le souvenir! Sous cette façade se cachait une femme passionnée, pleine de vie, qu'il brûlait d'apprendre à mieux connaître.

— Avez-vous réellement conçu tout cela vous-même? s'enquit-elle en levant les yeux vers lui.

— Bien sûr! Je voyais très souvent les enfants de ma sœur et c'est à leur contact que j'ai décidé de relever ce défi: inventer des jouets dont ils ne se lassent pas au bout d'une journée. A présent mes neveux sont trop grands, mais j'ai un ami qui a deux fils encore en âge de jouer. Ce sont eux qui testent toutes mes créations. Je ne mets jamais rien sur le marché avant de le leur soumettre!

Tout en prêtant une oreille attentive à ses explications, Juliet s'appliquait à construire un pont à bascule.

— Vous pouvez le relier à une commande, observa-t-il en se penchant pour l'aider.

Il s'agenouilla à ses côtés et passa un bras autour d'elle afin de guider ses mouvements. Les mains de Juliet tremblèrent imperceptiblement sous les siennes. Elle percevait avec acuité son souffle tiède contre sa joue et sa concentration en pâtit tellement que le pont s'écroula au lieu de se lever! Elle éclata de rire, renversée contre le torse du jeune homme.

— Bravo! fit-il. Vous venez d'inventer le premier pont destiné à s'effondrer sur l'adversaire. C'est une idée de génie!

Il la pressa un instant contre lui et Juliet frissonna, le cœur battant. Cette étreinte n'avait duré

64

qu'une fraction de seconde et avait pourtant suffi à la troubler au-delà de toute raison. Elle chercha son regard et découvrit dans ses prunelles sombres une intensité d'émotion qui l'effraya et la combla à la fois. Simon, cependant, se remit sur pied et lui serra l'épaule.

— Je parie que vous êtes aussi affamée que moi, Juliet.

— Affamée?

Stupéfaite, la jeune femme consulta sa montre. L'après-midi s'était écoulé sans qu'elle y prenne garde!

— Mon Dieu, je ne me rendais pas compte qu'il était déjà si tard. Il faudrait que je...

Mais Simon avait déjà décroché son téléphone. Peu après, un livreur leur apportait deux plats chauds et une bouteille de vin et il ne resta plus à Juliet qu'à accepter de partager cette dînette improvisée.

— Nous n'avons encore rien mis au point! fit-elle un peu plus tard en reposant sa serviette en papier. Certes, je n'ai pas la photocopie du contrat sur moi, mais j'espérais que nous réussirions au moins à revoir ensemble les différentes clauses. Peut-être aurez-vous des précisions à apporter que nous pourrons inclure, le cas échéant.

Perplexe, Simon attendit la fin de son intervention. L'avocate était revenue! constata-t-il, mi-amusé mi-contrarié. Même sa façon de s'exprimer avait changé du tout au tout.

— Franchement, Juliet. Votre projet ne tient pas debout, si vous voulez mon avis.

Elle le gratifia d'un regard exaspéré.

— Je ne vous comprends plus, Simon! Je pensais que nous avions réglé cette question une fois pour toutes lors de notre dernière entrevue!

— Ah! tiens... je ne me souviens pas avoir affirmé être convaincu! Je persiste à croire que dans votre cas, le mariage serait la solution indiquée, ajouta-t-il avec une feinte nonchalance.

Juliet fronça les sourcils.

— Le mariage? Pour l'amour du ciel, pourquoi revenir là-dessus? Vous connaissez mon point de vue sur ce sujet. Pour moi, c'est de l'hypocrisie pure et simple.

Simon s'agita sur sa chaise. De toute évidence, le moment n'était pas encore venu de jouer cartes sur table. Et pourtant, il ne devrait pas être impossible d'aboutir à un accord! Après tout, il ne lui demanderait pas de s'engager pour la vie, mais pour quelques mois seulement. Aucune hypocrisie possible dans une telle démarche! Quoi qu'il en soit, il se voyait contraint une fois de plus à différer l'heure des aveux. Mieux valait agir avec la plus grande circonspection et consulter Philip au préalable...

— A chacun ses opinions, commenta-t-il avec un haussement d'épaules indifférent.

Mal à l'aise, Juliet risqua un coup d'œil à la dérobée dans sa direction. Dans quel but obscur s'obstinait-il à vanter les charmes du mariage? Décidément, cet homme demeurait un mystère à ses yeux. Et elle comprenait de moins en moins pourquoi il avait répondu à son annonce!

— Ecoutez, Simon, il faut vraiment que je parte,

maintenant. Maintenez-vous votre candidature malgré tout?

— Tout à fait.

— Dans ce cas, je pourrais vous envoyer le contrat par la poste, qu'en dites-vous? Ainsi vous aurez tout le loisir de l'étudier. Il vous suffira de me téléphoner si vous avez des modifications à apporter.

— Ce sera parfait ainsi, acquiesça-t-il avec un sourire. Laissez-moi appeler mon chauffeur pour vous raccompagner. J'aurais préféré me charger de vous reconduire moi-même, mais je n'en aurai hélas pas le temps.

La jeune femme hocha la tête en silence et il l'escorta jusqu'à la porte de son bureau. Elle allait lui tendre la main lorsque, d'un mouvement vif, il l'attira à lui et se pencha pour effleurer ses lèvres. A la grande surprise de Simon, il sentit qu'elle nouait ses bras autour de son cou tandis que sa bouche s'entrouvrait sous la sienne. L'espace d'un instant, il la serra contre lui à la broyer, incapable de se résoudre à une séparation, même temporaire.

Reprenant ses esprits, Juliet se dégagea d'un mouvement brusque. Les pommettes en feu, elle se baissa pour prendre sa mallette abandonnée dans un coin du bureau.

— Merci d'être venue, Juliet, murmura-t-il d'une voix légèrement altérée.

La jeune femme détourna les yeux.

— Bonsoir, Simon.

Puis elle s'éloigna à grands pas dans le couloir. Qu'aurait-elle pu répondre? Rien au cours de cet après-midi ne s'était déroulé comme elle l'avait prévu et le souvenir du bref baiser échangé la faisait encore vibrer tout entière. Perdait-elle déjà tout contrôle de la situation? En proie à la plus totale confusion, elle accéléra son allure. Dire que son projet lui avait paru si simple, si bien organisé. Mais Simon s'était dressé sur sa route et déjà il lui semblait qu'elle ne maîtrisait plus rien...

Simon la suivit du regard comme elle traversait sans se retourner le hall d'exposition brillamment éclairé.

— Vous êtes une drôle de femme, Juliet Cavanaugh, commenta-t-il doucement lorsque le claquement de ses talons sur le marbre eut décru jusqu'à céder la place au silence.

Avec un sourire satisfait, il retourna à sa table de travail. Sans qu'il puisse vraiment se l'expliquer, il avait la conviction que tout finirait par s'arranger. Dans quelques semaines, il serait un homme marié et les *Etablissements Talcott* lui appartiendraient. Son sentiment de triomphe fut cependant de courte durée. Déjà l'exaltation de la victoire était remplacée par une image. Celle, éblouissante, obsédante, de la jeune femme qui venait de le quitter...

4.

Toute la semaine, Simon fut retenu en ville par ses affaires et il dut attendre le week-end avant de se rendre à sa maison de bord de mer tout près de Half Moon Bay. Il n'eut pas sitôt posé son sac de voyage dans sa chambre et enfilé une tenue décontractée qu'il ressortait pour une visite à son voisin le plus proche : son ami, Philip Gentry. Il n'avait qu'une hâte depuis qu'il avait reçu le contrat envoyé par Juliet : formuler à l'aide de son avocat la fameuse clause ayant trait au mariage ! Les mains dans les poches de son jean, il longea la plage en sifflotant, le regard rivé sur les mouettes au-dessus de la masse houleuse de l'océan.

Quel dommage que Timmy, le plus jeune fils de Philip, ait contracté la varicelle ! songea-t-il en aspirant à pleins poumons l'air tiède chauffé par un pâle soleil automnal. Il s'était tellement réjoui à l'idée de partir à la pêche avec Philip ! Mais le jeune avocat n'avait pu sortir de chez lui depuis une éternité, absorbé qu'il était par les soins à prodiguer à son petit dernier.

Non, la vie de Philip n'avait pas été simple depuis le départ d'Eileen, songea-t-il en secouant la tête. C'était une lourde responsabilité d'élever seul deux enfants. A fortiori lorsqu'on avait un travail aussi prenant que le sien. Simon n'avait jamais su déterminer avec exactitude à quel stade les relations s'étaient détériorées au sein du couple. Ils avaient toujours paru tellement amoureux, l'un et l'autre ! Et pourtant, si Eileen s'était mise à boire, c'est que le ver devait déjà être dans le fruit...

— Simon ! Simon ! hurla une voix enfantine au-dessus de lui.

Il s'immobilisa, prêt à intercepter le garçonnet qui se ruait à sa rencontre.

— Timmy a la varicelle, annonça Michael en pouffant dès que Simon l'eut reposé sur le sable. Si tu voyais sa tête ! Mais dis-moi, tu as apporté ma moto, au moins ?

— Et comment !

Remerciant le ciel de ne pas avoir oublié, Simon sortit le jouet de sa poche. Il le remit au petit garçon d'un air solennel.

— Je compte sur toi pour la tester à fond, Michael. J'espère qu'elle sera plus résistante que l'ancien modèle.

Très sérieux, l'enfant croisa les bras.

— Je te le ferai savoir en temps voulu, Simon. Et maintenant viens vite voir Timmy. Mais il ne faudra pas rire, tu sais. C'est papa qui l'a dit !

Ils trouvèrent Philip à la cuisine penché au-dessus de ses fourneaux, les cheveux en bataille et ses lunettes de travers.

— Simon! tu arrives juste à temps pour le déjeuner!

Le cuisinier amateur s'essuya le front. La compagnie d'un adulte était vraiment la bienvenue. Il commençait à comprendre un peu mieux pourquoi Eileen s'était tant plainte, à l'époque...

Michael fronça le nez en soulevant le couvercle de la marmite.

— Pouah! Encore des spaghettis! C'est la troisième fois cette semaine, gémit-il avant de prendre la fuite, sa moto serrée contre lui.

Simon tapota l'épaule de son ami.

— J'ai l'impression que ta semaine n'a pas été de tout repos, mon pauvre Philip.

— Voilà un doux euphémisme... Ma précieuse Mme Campanelli refuse de mettre un pied dans la maison tant que Timmy n'est pas guéri de sa varicelle. Elle est terrorisée à l'idée d'avoir un zona. Et j'avoue que sans elle, la maisonnée entière part plus ou moins à la dérive.

— Ce n'est vraiment pas de chance! Je comprends mieux à présent pourquoi tu n'as pu venir en ville, ces jours.

Simon considéra la cuisine en désordre d'un air pensif. Juliet avait-elle mesuré à quel point les parents-célibataires-actifs étaient dépendants de leur gouvernante? Se rendait-elle *vraiment* compte de ce qu'impliquait sa décision? Il fut interrompu dans ces considérations par Timmy qui le tirait par la manche.

— Tu es venu pour te moquer de moi? s'enquit-il d'une voix étouffée.

Avec un sourire amusé, Simon s'agenouilla près de la petite silhouette dissimulée sous une couverture. Puis il dégagea gentiment la tête de l'enfant.

— Pourquoi veux-tu que je me moque de toi, Timmy? Je suis simplement passé vous dire bonjour à tous les trois.

— Alors pourquoi me regardes-tu ainsi? insista le garçonnet avec une mimique boudeuse.

Simon lui ébouriffa les cheveux d'un geste plein de tendresse. Michael n'avait pas menti: le petit dernier de la famille était réellement comique avec son visage couvert de croûtes!

— Si je te regarde, c'est que je ne veux pas manquer ta réaction lorsque je t'aurai donné ta nouvelle voiture! le rassura-t-il.

Sans se départir de son air méfiant, Timmy se saisit du jouet.

— Veux-tu que je la teste, Simon?

— Naturellement, quelle question! Ne compte pas sur moi pour t'accorder un congé de maladie, mon petit bonhomme.

— Très bien, je m'en occupe. J'espère qu'elle sera plus solide que celle que tu m'as apportée la dernière fois.

Très fier de son rôle, l'enfant se couvrit de nouveau la tête et s'éloigna en direction de l'escalier.

— Hé! une seconde. Prends ton déjeuner avec toi, s'exclama Philip en lui tendant une assiette de spagetthis... Puis-je t'en offrir aussi, Simon?

— Non merci, j'ai déjà mangé. En revanche, j'aurais besoin de tes compétences juridiques, Philip. Du moins, si tu as quelques minutes à me consacrer !

— Aucun problème. Cela me changera un peu les idées après cette semaine de maternage intensif !

Simon suivit son ami dans son bureau, ravi qu'il consente à l'aider. Il ne pouvait décemment téléphoner à Juliet avant d'avoir préparé sa propre version du contrat. Or, il brûlait d'impatience de la revoir !

Le jeune homme contourna juste à temps un jeu de construction abandonné par Timmy au beau milieu de la pièce. Il ne pouvait s'empêcher de sourire chaque fois qu'il pénétrait dans le cabinet de travail de Philip. Du temps d'Eileen, l'endroit avait toujours été le domaine privé de l'avocat, avec ses longues rangées de livres, son odeur de cuir, de tabac et de bois ciré. Mais depuis un an qu'elle était partie, le parquet était jonché de jouets et les dessins des enfants étaient collés un peu partout. Les mains dans les poches, Simon s'approcha de la photo d'Eileen demeurée en évidence sur le secrétaire.

— As-tu eu des nouvelles d'elle, récemment ?

— Pas depuis plusieurs mois.

Philip ne précisa pas qu'il avait cherché à la contacter sans réussir à retrouver sa trace. Après une année entière de séparation, il aurait peut-être été plus sage de l'oublier, mais il ne pouvait s'empêcher de s'inquiéter à son sujet.

— Pourquoi n'enlèves-tu pas ce portrait ? s'enquit Simon. Ce serait plus facile pour toi.

— Les enfants s'en étonneraient. Ils continuent à espérer qu'elle reviendra.

— Et toi? demanda Simon de but en blanc.

Son ami s'effondra dans un fauteuil et se passa la main sur les yeux.

— Je ne suis même pas sûr de connaître moi-même la réponse à cette question. Sa tendance à boire rendait la vie commune impossible, c'est certain. Mais il ne faut pas exclure l'hypothèse où elle se déciderait enfin à se soigner. Dans ce cas... Non, franchement, je ne sais pas...

Détournant les yeux du visage souriant d'Eileen, Philip changea délibérément de sujet.

— Alors? Que puis-je faire pour toi, Simon?

Le jeune homme se pencha pour ramasser une boîte de crayons de couleur et réussit à libérer une chaise pour s'asseoir.

— J'aimerais que tu me rédiges un accord.

— Encore des ennuis avec les brevets?

— Pas vraiment... Te souviens-tu de cette annonce dans le *Bay City Magazine*?

Philip se prit la tête entre les mains.

— Quoi? Ne me dis pas que tu as donné suite à ce projet insensé! Tu as donc rencontré cette créature en quête d'un géniteur?

— Il n'est pas exclu que tu aies déjà vu la créature en question, mon vieux Philip. Il s'agit de Juliet Cavanaugh, ce nom t'est peut-être familier?

— Juliet Cavanaugh! Tu veux parler de l'avocate spécialisée dans les affaires de divorce?

— Elle-même, mon cher.

Philip le regarda d'un air de profonde commisération.

— Ecoute, Simon, je ne suis pas un de ses intimes, mais je la connais de vue et cela suffit. Une femme comme elle n'a pas besoin de passer par les journaux pour trouver un compagnon, un amant ou tout ce que tu voudras. Elle doit opérer pour le compte d'une quelconque...

— Faux! le coupa Simon en souriant. Comme tu peux l'imaginer, je l'ai déjà interrogée à ce sujet. Elle est fermement décidée à avoir un enfant sans s'encombrer d'un mari. On peut trouver sa méthode discutable, mais elle a l'avantage de la simplicité.

— Eh bien... j'avoue que tout cela me laisse rêveur. Mais elle ne te sera pas du moindre secours si elle refuse de se marier! s'exclama-t-il, sourcils froncés.

Avec un haussement d'épaules, Simon sortit le contrat de sa poche.

— Cela dépendra à la fois de mes dons de persuasion et de tes talents de juriste. Tiens, jette un coup d'œil à ceci, s'il te plaît. C'est le contrat qu'elle m'a envoyé.

Pendant que Philip parcourait les feuillets, Timmy se glissa en silence dans la pièce et, sans lâcher sa couverture, se cala sur les genoux de son père. Philip caressa distraitement les cheveux de son fils. Une expression de plus en plus incrédule se peignait sur ses traits à mesure qu'il progressait dans sa lecture.

— Inimaginable, marmonna-t-il. Si je ne l'avais pas lu de mes propres yeux, j'aurais cru à une plaisanterie. Qu'une femme décide d'avoir un enfant de cette façon...

— Que veux-tu? C'est quelqu'un qui a à la fois de la suite dans les idées et une formation juridique... Pour ma part, j'aimerais simplement que tu gardes le contrat tel qu'il est. Tu ajouteras simplement qu'en contrepartie, j'exige un mariage d'une durée de six mois, résiliable par chacune des parties sur simple demande à partir de la date d'expiration convenue.

Philip se renversa contre son dossier.

— C'est ingénieux, en effet. Mais tu oublies quelques détails...

— Comme?

— Ce genre d'accord n'a aucune valeur légale.

Soulagé, Simon sourit.

— Cela ne pose pas de problème puisque Juliet abhorre le mariage! Ce n'est pas elle qui se fera prier pour le dissoudre.

— Un point pour toi, admit Philip en drapant la couverture autour de l'enfant endormi. Passons à ma seconde objection: et si tu tombais amoureux d'elle? Nous avons connaissance de son identité, à présent, et Juliet Cavanaugh est une femme très attirante. Or elle se refuse apparemment à vivre des relations affectives normales. Sauras-tu accepter qu'elle te repousse?

Pris au dépourvu, Simon se tut un instant. Puis il esquissa un geste évasif de la main.

— Le monde regorge de belles femmes, Philip. Si je devais tomber amoureux aussi facilement, je serais déjà un homme marié et le problème ne se poserait même pas! Allons, ne me regarde donc pas de cet air sceptique! Nous sommes deux adultes raisonnables procédant en toute bonne foi à un échange de services. Pourquoi veux-tu qu'il y ait la moindre complication ?

Comme il se levait pour partir, son ami se mit sur pied à son tour, Timmy toujours serré contre lui.

— Je vais t'aider à rédiger cette clause puisque tu me le demandes. Mais j'espère sincèrement pour toi que tu ne commets pas une grave erreur, Simon. Le prix à payer pourrait être plus élevé que tu ne le penses...

Le lundi matin, Simon reçut à son bureau une lettre dépêchée par porteur spécial. L'adresse de Philip figurait au dos de l'enveloppe. Les mains tremblantes d'impatience, il ouvrit le courrier et en sortit le contrat ainsi qu'un petit mot accroché par un trombone : « Pour le plus entêté des hommes ! Bonne chance, quand même. Philip. »

Avec un sourire en coin, Simon s'empara du téléphone. Enfin, il allait pouvoir fixer un rendez-vous à Juliet...

Lorsque la jeune femme revint à son cabinet après une matinée passée au tribunal, elle trouva Linda installée à la réception, mordant à belles dents dans un sandwich.

— Hé ! protesta-t-elle. Pas d'en-cas pour ton premier jour de travail ici. Je suis passée te prendre pour t'offrir un vrai déjeuner dans un vrai restaurant !

Imperturbable, son amie but une gorgée d'eau minérale.

— Erreur, ma chère Juliet. Tu as de tout autres projets.

Etonnée, la jeune femme arqua un sourcil.

— Alice a pris ce message avant de partir, expliqua Linda en brandissant une feuille de bloc-notes. Ecoute bien car c'est assez elliptique : « Union Square. Midi. Le banc côté nord près du pin. N'oubliez pas votre stylo. Simon. »

Le cœur battant, Juliet se laissa tomber sur la première chaise disponible. C'étaient les mots qu'elle attendait ! Une vague d'exaltation la submergea, aussitôt suivie par une bouffée de panique. Il avait accepté ! Pour des motifs qu'elle ne parvenait à percer à jour, Simon Talcott qui avait répondu à son annonce par simple curiosité, qui désapprouvait son projet et prônait obstinément le mariage, se montrait disposé à jouer le jeu à sa façon. *Elle allait devenir mère...*

Emergeant en sursaut de ses rêveries, la jeune femme se rendit compte que Linda la considérait d'un air amusé.

— Que se passe-t-il ? taquina celle-ci. Aurais-tu des doutes, tout à coup ?

— Absolument pas. Je réfléchissais, c'est tout.

— Mmm... J'ai l'impression que ce Simon ne te laisse pas du tout indifférente, en fait. Regarde ! Tes mains tremblent et je ne t'ai pas vu une expression aussi égarée depuis des lustres !

— Qui resterait impassible à la perspective d'avoir bientôt un enfant ? protesta faiblement Juliet.

— A ce propos, comment a réagi Christie ?

— Christie ? Quelle Christie ?

— Ta mère, ma chère Juliet ! Je parie que tu ne lui as encore rien dit ! Dans quel état tu te trouves, décidément ! Si tu veux mon avis, rends-toi à pied à Union Square. L'air frais t'aidera à te ressaisir.

— Ne dis pas de bêtises, voyons, marmonna la jeune femme.

Ce qui ne l'empêcha pas d'échanger docilement ses escarpins contre une paire de chaussures de sport. Puis elle dirigea son regard vers la fenêtre. L'épais brouillard qui avait envahi la ville ne s'était toujours pas levé. Frissonnante, elle resserra la ceinture de son imperméable.

— Te voilà seul maître à bord, Linda, s'exclama-t-elle, feignant la plus grande décontraction. Je te laisse tous mes dossiers à compulser. Et ne t'inquiète pas pour la clientèle ; je n'ai aucun rendez-vous avant seize heures.

Linda jeta son gobelet vide dans la corbeille à papier.

— Tiens, à propos de clientèle, j'allais oublier : une jeune femme blonde est passée tout à l'heure pour toi. Je lui ai dit que je t'attendais d'une seconde à l'autre, mais elle a refusé de rester. Elle n'a même pas voulu me donner son nom.

— Mmm... est-elle à peu près de notre taille avec des cheveux mi-longs et un visage fin et crispé ?

— C'est à peu près cela, oui.

— Je crois savoir de qui il s'agit, murmura Juliet en fronçant les sourcils. Enfin... j'espère qu'elle trouvera le courage de revenir. Il faut que je file, à présent. A tout à l'heure! Et encore toutes mes excuses pour notre déjeuner manqué!

Dehors, Juliet respira à pleins poumons l'air épais et chargé de brume. Linda avait vraiment eu une idée de génie en lui conseillant la marche à pied! songea-t-elle en accélérant le pas. Elle se sentait moins nerveuse. Soudain le vent forcit dans son dos, envoyant dans ses yeux ses longs cheveux défaits. Riant toute seule, Juliet se retourna, laissant la bise balayer en arrière ses mèches capricieuses. Puis elle ramassa sa chevelure et la glissa sous son col. Lorsqu'elle repartit dans le bon sens, elle se rendit compte que c'était une manie qu'elle avait eue, toute jeune fille. Il y avait des années qu'elle n'avait pas accompli ces gestes!

Les mains dans les poches de son imperméable, la jeune femme ralentit insensiblement son allure en approchant du but. Simon avait mal choisi son jour pour lui fixer un rendez-vous en plein air. Et pourtant, cette initiative lui semblait infiniment séduisante. Peut-être iraient-ils déjeuner ensemble pour sceller leur pacte? Pas avant que leurs deux signatures ne soient apposées sur le contrat, en tout cas...

À l'angle de la place, Juliet s'immobilisa involontairement. Il était là, sur le banc, entouré d'une nuée de pigeons qui voletaient çà et là, se chamaillant pour venir manger du pop-corn dans sa main. Le jeune homme se tenait penché et une mèche noire tombait sur son front. Son cœur bondit dans sa poitrine. *Reste calme, Juliet! Tu es venue pour passer un marché, rien de plus.* Simon releva la tête et sourit en notant sa présence.

— Vous êtes à l'heure, Juliet. Venez donc vous asseoir près de moi. Du moins, si ces oiseaux consentent à vous laisser un peu de place ! enchaîna-t-il en chassant les pigeons.

Timide, elle s'installa à l'extrême bord du banc. Simon se pencha pour nourrir un moineau et d'un même mouvement, pressa sa cuisse contre la sienne. Un frisson la parcourut. *Tu es ici pour affaires, Juliet !* Et néammoins, ces affaires étaient de drôles d'affaires... Comment procéderaient-ils une fois les formalités accomplies ? Choisiraient-ils son appartement ou le sien ? Et peut-être serait-il indiqué de lui offrir un dîner au restaurant ensuite ? En pleine confusion, elle s'efforça de se ressaisir. D'abord le contrat. Le reste n'était qu'une question de détail.

— L'avez-vous apporté ? s'enquit-elle avec une feinte nonchalance.

— Apporté quoi ?

Juliet prit une profonde inspiration.

— Le contrat, bien sûr.

Simon prit le temps de finir le pop-corn, froissa le sachet en boule et visa avec succès la poubelle la plus proche.

— Quel contrat ?

— Simon, voyons ! Celui qui nous lie tous deux dans le but de ... de...

— Ah ! mais oui, où ai-je la tête ? fit-il en sortant le papier de sa poche.

Soulagée, Juliet prit le document.

— Je suppose que vous l'avez déjà signé ?

Simon comprit que le moment était venu de se jeter à l'eau.

— Pas encore, comme vous pouvez le constater. Je voudrais que nous discutions d'abord d'un rajout que j'aimerais y voir figurer.

Contrariée, Juliet fronça les sourcils.

— Vous deviez m'appeler si vous aviez des modifications en vue ! Peut-être pourrons-nous les inscrire plus tard, si elles ne sont pas déterminantes.

— Je crains que celle que j'ai en tête ne soit pas vraiment mineure à vos yeux... Puisque vous désirez un bébé, Juliet, je présume que vous êtes disposée à accepter quelques concessions de votre côté.

La jeune femme le gratifia d'un regard suspicieux.

— Si vous estimez que la rémunération est insuffisante...

— Oubliez cette histoire d'argent, par pitié, la coupa-t-il avec virulence. Je ne veux pas un centime de vous.

— Alors qu'attendez-vous de moi, au juste ?

Simon plongea dans les siens des yeux qui ne cillaient pas.

— J'aimerais que vous m'épousiez, Juliet.

Foudroyée sur place, elle le considéra un instant d'un air incrédule avant de se relever, folle de rage.

— Est-ce que vous vous moquez de moi, Simon Talcott ?

— Certainement pas. Je pose mes conditions, c'est tout. J'ai un besoin aussi impérieux d'une épouse qu'il vous faut un père pour votre enfant. Et si vous preniez la peine de vous asseoir, je vous expliquerais pourquoi.

Le visage fermé, la jeune femme obtempéra, non sans laisser entre elle et lui la plus grande distance possible.

— Vous pourrez expliquer tout ce que vous voudrez. Jamais vous ne me ferez changer d'avis à ce sujet !

Imperturbable, Simon entreprit de la mettre au fait des dispositions testamentaires de son père. Sans réussir le moins du monde à calmer Juliet...

— Et vous voulez que je me marie avec vous pour cette seule raison ? C'est une exigence démesurée, ridicule même !

— Pas uniquement pour cette raison, Juliet ! Car si vous songiez un instant à l'intérêt de votre enfant, vous saisiriez aussitôt cette occasion de le rendre légitime.

Un instant, Juliet demeura interdite, frappée par la pertinence de cet argument.

— Nous ne sommes plus au Moyen Age, protesta-t-elle sans grande conviction. Les mœurs ont changé et les structures familiales avec. Qui se soucie encore de mariage ?

— Votre raisonnement se tient parfaitement, Juliet. Mais il n'en reste pas moins que votre fils ou votre fille ne rencontrera pas les mêmes problèmes si il ou elle peut se targuer d'avoir un *vrai* père. C'est peut-être stupide, mais c'est ainsi.

Effarée, la jeune femme se boucha les oreilles. Il avait peut-être raison, mais se rendait-il compte à quel point ce qu'il lui demandait était insensé ? Elle ne pouvait franchir ce pas de sang-froid ; c'était inconcevable ! Soudain furieuse contre elle-même, contre lui et contre le monde entier, Juliet se leva d'un bond.

— Je ne me marierai jamais, vous m'entendez ? Ni avec vous ni avec personne d'autre. Et à présent, adieu !

La jeune femme s'était déjà éloignée à grands pas, lorsque Simon trouva la présence d'esprit de lancer :

— J'ai prévu une clause résolutoire dans un délai de six mois !

Mais Juliet ne ralentit même pas. Elle ne l'avait pas entendu, comprit-il, les yeux rivés sur sa silhouette. Impavide, le jeune homme sortit de sa poche une revue de mots croisés. Il n'était pas exclu qu'il se trompe mais son instinct lui disait qu'elle reviendrait...

Errant dans le brouillard, Juliet bouillait tellement de rage qu'elle se sentait prête à exploser. *Tu aurais dû te douter qu'il y aurait une contrepartie, tête de linotte. Tout était trop simple, trop parfait. Et maintenant que tout est compromis, que faire ?*

Pleine de dépit, elle se percha sur une borne à incendie, maudissant sa position inconfortable. Il lui fallait réfléchir, cependant, mettre de l'ordre dans ses pensées au lieu de tempêter dans le vide. Qu'entreprendre, à présent ? Repasser une annonce ? Chercher un autre père ? Mais non, cela ne servirait qu'à perdre beaucoup de temps pour parvenir à une conclusion qu'elle connaissait déjà : aucun de ceux qui se présenteraient n'arriverait à la cheville de Simon !

Alors quelles étaient les options restantes? *Accepter de l'épouser ou renoncer complètement à son projet.* Pas d'autre alternative. Autrement dit, l'impasse complète. Car elle voulait l'enfant et elle voulait Simon. C'était aussi simple que cela. Longtemps, la jeune femme demeura immobile, en tentant de mettre au clair les données de ce problème insoluble. Puis, lentement, délibérément, Juliet se releva. Puisqu'elle n'avait pas d'autre choix que de satisfaire ses exigences, elle allait s'y résoudre. Mais non sans poser ses propres conditions!

A grands pas, elle repartit en sens inverse sans qu'il lui vienne un instant à l'idée que Simon ait pu quitter son banc. Et il était là, en effet, griffonnant Dieu sait quoi dans une pose nonchalante. Elle se contraignit à sourire, bien décidée cette fois à garder le contrôle de la situation.

— Me revoilà!

— C'est ce que je constate... Etes-vous disposée à lire ma version du contrat, à présent? s'enquit-il en rangeant ses mots croisés.

— Pas encore. J'ai réfléchi à votre proposition et je suis disons... prête à négocier.

— A la bonne heure! Ce ne sera pas facile, néanmoins. En matière de mariage, on accepte ou on refuse. Il n'y a guère de solutions intermédiaires!

— C'est là que vous vous trompez, Simon. On a également la possibilité de s'y résigner de façon *temporaire*.

— Tout à fait d'accord avec vous... Et si c'est à une clause résolutoire que vous songez, elle a déjà été prévue par mon avocat, annonça-t-il avec désinvolture.

Vexée, Juliet le foudroya du regard.

— Vous auriez pu me le préciser tout de suite !

— J'ai bien essayé, mais vous ne m'en avez pas laissé l'occasion ! Tenez, jetez donc un coup d'œil à ceci, proposa-t-il en posant les feuillets sur les genoux de la jeune femme. Cela facilitera la discussion, vous ne pensez pas ?

Les mains tremblantes, Juliet s'empara du contrat et prit connaissance de l'article que l'avocat de Simon avait rajouté. C'était simple, détaillé et sans ambiguïté possible. Une solution parfaitement acceptable pour chacune des parties... Et que Juliet était vexée de ne pas avoir trouvée... Mais cela, elle ne pouvait le dire à Simon !

Au bord du vertige, Juliet hésita un instant. Le plus élémentaire bon sens aurait voulu qu'elle demande quelques jours de réflexion. Comme dans un état second, cependant, elle se vit accepter le stylo que Simon lui tendait. D'un geste assuré, elle parapha et signa le document.

Il avait gagné... Les Etablissements Talcott lui appartenaient. Le problème qui l'avait hanté pendant deux ans se trouvait finalement résolu sans qu'il ait à concéder le moindre sacrifice. Et pourtant... loin d'éprouver le sentiment de triomphe attendu, Simon se sentit la proie d'un inexplicable regret tandis que les paroles de Philip résonnaient de façon lugubre à ses oreilles. « Le prix à payer pourrait être plus élevé que tu ne le penses, Simon. » Mais il était trop tard pour reculer...

— Voilà... je crois que tout est réglé, cette fois-ci, commenta la jeune femme d'une voix atone.

Juliet se leva et lui tendit la main. Simon l'imita et ils échangèrent une poignée de main. Quelle façon ahurissante de procéder, songea-t-il, les yeux rivés sur la feuille de papier que Juliet faisait disparaître dans la poche de son imperméable. N'auraient-ils vraiment pas pu se passer de ces formalités? En dressant entre eux cette barrière juridique, ne venaient-ils pas de rendre à tout jamais impossible un rapport affectif normal?

— Bien, murmura Juliet. Il est temps que je retourne à mon cabinet. La semaine qui vient sera chargée pour moi, mais ensuite je serai plus disponible. Appelez-moi lorsque vous aurez fixé la date du mariage.

Simon eut un sursaut de révolte lorsqu'elle tourna les talons. *Il ne pouvait pas la laisser partir! Pas ainsi, en tout cas...* Il agrippa fermement son épaule.

— Vous oubliez quelque chose, Juliet.

Sans lui accorder le temps de réfléchir, il posa ses lèvres sur les siennes. Ils étaient seuls, isolés du monde par le brouillard dense qui les enserrait dans son cocon. Quel contraste sidérant entre la douceur de cette brève étreinte et la façon presque glaciale dont ils avaient conclu leur arrangement! Un instant, Juliet s'abandonna contre lui et une vision fugace de ce qui aurait pu advenir entre eux transperça le cœur de Simon comme une dague. Qu'avaient-ils fait? Lorsqu'il la relâcha, sa voix était rauque, voilée.

— Je vous téléphonerai, Juliet...

Avec une sensation de solitude comme elle n'en avait encore jamais éprouvé, la jeune femme demeura immobile, suivant des yeux la silhouette virile qui s'éloignait sans se retourner.

Au cours de la semaine qui suivit, Juliet réussit à se persuader qu'elle avait agi de la façon la plus raisonnable possible, en définitive. N'allait-elle pas avoir son bébé, après tout? De surcroît, Simon avait émis un argument qui était loin de la laisser insensible. Inévitablement, son enfant finirait par l'interroger sur son père et il serait rassurant pour lui d'avoir été conçu non pas par un inconnu de passage mais au sein d'un couple légitime. Juliet en venait même à se demander comment elle avait réussi à ne pas envisager cette évidence plus tôt!

Quoi qu'il en soit, il était grand temps de s'acquitter d'une mission qu'elle n'avait cessé de différer jusqu'ici : mettre Christie au courant de son projet! Aucune fille digne de ce nom ne pouvait se marier dans la ville même où vivait sa mère sans l'en informer au préalable. Et tant pis si Christie était une grande adepte de l'union libre. Vu les circonstances, elle comprendrait...

La porte de l'atelier à Sausalito — ancien village de pêcheurs devenu colonie d'artistes — était ouverte comme d'habitude et la jeune femme entra sans frapper. Il fallut quelques secondes avant que la tête rousse de Christie se détache de son chevalet.

— C'est toi, Juliet? Viens vite m'embrasser!

Hé! attention de ne pas renverser l'essence de térébenthine… Tu aurais pu me prévenir de ton arrivée!

— Afin que tu te mettes derrière tes fourneaux et que tu sortes ta plus belle porcelaine? fit la jeune femme, taquine, en déposant un baiser sur sa joue.

— Et puis quoi encore? Je ne lâche d'ailleurs plus mes pinceaux. Mon éditeur m'a menacée de m'envoyer un huissier si je ne lui livre pas ces illustrations dans les trois jours qui viennent.

— Aïe!

Mais Christie ne paraissait pas alarmée outre mesure. D'un geste vif, elle s'essuya les mains sur sa large blouse.

— Cela ne va tout de même pas nous empêcher de boire un bon petit jus de carotte, ma chérie. Viens avec moi, je vais te préparer cela tout de suite.

Du jus de carotte! Beurk! Avec une grimace résignée, Juliet suivit sa mère dans la cuisine. Elle se baissa pour éviter les bouquets de plantes aromatiques qui séchaient au-dessus de la porte tout en se demandant comment elle allait présenter les choses. *Allons, du courage, Juliet! Cela ne devrait pas être si difficile.* Il suffirait de commencer par le bébé. L'idée ferait vraisemblablement rire Christie et elle enchaînerait alors rapidement sur cet accord de mariage temporaire.

— Dis-moi ce qui t'a poussée à faire tout le trajet jusqu'à Sausalito un jour de semaine? s'enquit sa mère, sourcils froncés. Ce sont des mauvaises nouvelles, n'est-ce pas? Je m'en doutais un peu. Mon horoscope ce matin était formel, je…

— Pas du tout! hurla Juliet, cherchant à couvrir le vacarme de la centrifugeuse. Au contraire. Que... que dirais-tu d'être grand-mère?

Une expression stupéfaite se peignit sur le visage de Christie. Elle éteignit l'infernale machine et se laissa tomber sur un tabouret.

— Tu es enceinte, ma pauvre petite chérie! Quelle catastrophe, mon Dieu! Je le savais bien que ce serait un jour de malheur.

Juliet ouvrit de grands yeux. Christie semblait avoir vieilli de dix ans en l'espace d'une seconde! Qu'était donc devenue la légendaire ouverture d'esprit de Christie?

— Rassure-toi, rien n'est encore fait... Mais j'ai la ferme intention d'avoir un enfant le plus vite possible, précisa-t-elle courageusement.

Christie but son jus de carotte d'un trait comme pour y puiser le courage de faire face à cette tragique nouvelle.

— Ecoute, Juliet, j'ai toujours été compréhensive et tolérante avec toi, mais là tu dépasses les limites. Alors sois gentille, explique-moi toute l'histoire. Depuis le début. Et ne cherche surtout pas à m'épargner, mon cœur est solide et je suis en excellente condition physique.

La jeune femme réprima un sourire. Une mère était une mère, après tout. Et, tout bien considéré, il serait beaucoup plus sage de présenter son projet de façon un peu différente que prévu... S'armant de courage, elle annonça d'un ton solennel:

— Je vais me marier.

Une expression d'intense soulagement illumina les traits de Christie.

— Dieu soit loué! Je comprends maintenant. D'abord un mari, et ensuite la maternité. Parfait. C'est vraiment la meilleure politique, ma petite Juliet. Crois-en ta vieille mère.

Elle se leva pour prendre sa fille dans ses bras.

— C'est tellement merveilleux, ma chérie! Je ne veux même pas savoir qui il est. Tu l'aimes et cela me suffit. Mais maintenant, il s'agit de s'organiser. Nous avons la liste des invitations à établir, il faut louer une salle, engager un photographe et naturellement choisir une robe. Et...

Effarée, Juliet leva la main pour interrompre ce flot de paroles.

— Christie, ne t'enthousiasme pas si vite! Simon et moi avons la ferme intention de nous contenter d'une cérémonie très simple. C'est une question de principe, pour lui comme pour moi, ajouta-t-elle, furieuse de s'être enferrée dans cette série de mensonges.

Une brève lueur de déception passa dans les yeux verts de sa mère, puis elle se ressaisit.

— Mais bien sûr, où ai-je la tête? Tu as toujours juré tes grands dieux que tu ne te marierais jamais. Il n'est pas facile, après cela, de le faire de façon trop ostentatoire! Et je devrais déjà m'estimer heureuse que tu aies changé d'avis.

Au grand étonnement de Juliet, Christie poursuivit en baissant la tête :

— J'ai toujours eu tellement peur que tu restes célibataire, que la défection de ton père lorsque tu étais petite te détourne définitivement de la vie de couple. Tu aurais pu être marquée à vie. Je me suis toujours efforcée de ne rien laisser transparaître de mon amertume mais... mais...

Ce fut au tour de Juliet de réprimer une larme. Elle entoura affectueusement les épaules de sa mère.

— Le départ de papa n'a pas été un véritable traumatisme pour moi, fit-elle sans se soucier de mentir. Tu as été une mère parfaite, Christie. Et je ne me souviens pas d'avoir senti un manque à quelque moment que ce soit.

Sans se départir de son inhabituelle gravité, Christie lui caressa les cheveux.

— Mettre un enfant au monde est une responsabilité immense, Juliet. Et lorsqu'il s'agit de l'élever seule, de lui donner tout l'amour, toute l'attention dont il a besoin, c'est une tâche qui... qui...

Sa voix se brisa.

— Enfin... Le principal, c'est que vous soyez deux à avoir ce bébé, ma chérie. C'est tout ce qui compte. Je tiens tellement à te voir heureuse, tu sais...

Juliet était pétrifiée. Pas un instant, elle ne s'était imaginé que Christie avait été torturée par le doute à son sujet. Et n'avait-elle pas souffert de la solitude plus qu'il n'y paraissait? Tout ce qu'elle venait d'apprendre était tellement inattendu, tellement déroutant! Mais peu importe... Elle ne devait pas se laisser détourner de son projet. Pour l'instant, sa mère était aux anges et lorsque viendrait le moment du divorce, elle trouverait bien une explication.

Christie s'essuya les yeux et se leva, de nouveau pleine d'entrain.

— Une chose est certaine, ma fille, c'est qu'il va falloir que tu améliores tes habitudes alimentaires. Je veux un petit-enfant en bonne santé! Tiens, commence donc par boire ton jus de carotte au lieu de laisser les vitamines s'oxyder.

— Mais, maman...

— Mon nom est Christie et l'a toujours été. Bois!

Résignée, Juliet avala d'un trait la boisson douceâtre.

— Bien! Et maintenant fixons une date. Il me tarde de voir ce Simon. Voyons... Est-ce que jeudi soir vous conviendrait pour venir dîner? Et est-ce qu'il aime les sushi?

Juliet réprima un soupir. Encore une éventualité à laquelle elle n'avait pas songé! Mais à quoi bon chercher un prétexte pour refuser? Puisqu'elle allait bel et bien épouser Simon, il était évident qu'une rencontre avec Christie s'imposait. Alors pourquoi différer l'épreuve?

— Volontiers, Christie. Je demanderai à Simon s'il est libre.

5.

Ebranlée, Juliet quitta l'atelier de Sausalito. Elle qui pensait connaître si bien sa mère! Mais le champ d'application des idées ultra-libérales de Christie excluait de toute évidence sa propre fille... Bah, qu'importe? De toute façon, elle serait ravie d'être grand-mère et il serait toujours temps de s'expliquer à ce moment-là.

Restait un détail à régler à très court terme, cependant: l'invitation de jeudi soir... Simon accepterait-il de jouer le jeu? Rien dans leur contrat ne les contraignait à fréquenter leurs futures belles-familles respectives! Juliet accéléra en s'engageant sur le mythique pont du Golden Gate qui la ramenait vers San Francisco. A la réflexion, Simon ne pouvait faire moins que de lui rendre ce petit service. L'idée du mariage venait de lui, après tout, et c'était sa faute, si elle se trouvait dans cette situation ambiguë par rapport à sa mère. A lui d'assumer les conséquences de ses actes!

Profitant de l'exceptionnelle fluidité de la circulation, la jeune femme obéit à une soudaine impulsion et prit la direction de Jackson Square où se trouvait l'usine de Simon. Le détour n'était pas bien grand et elle pourrait lancer son invitation sans passer par les affres et les incertitudes d'une conversation téléphonique.

L'après-midi touchait à sa fin lorsqu'elle se gara devant le bâtiment en brique. Plus personne à la réception, constata-t-elle, vaguement inquiète à l'idée qu'elle ait pu se déplacer pour rien. Mais le bureau de Simon était encore éclairé. Le jeune homme l'accueillit avec une telle effusion sur le pas de la porte qu'elle se sentit fondre...

— Juliet! Quelle merveilleuse surprise! Vous n'auriez pu choisir meilleur moment pour arriver ici!

Lui avait-elle donc tant manqué? se demanda-t-elle, le cœur battant. Cette séduisante illusion fut, hélas, rapidement dissipée. Dès qu'il lui eut effleuré les lèvres, elle remarqua le désordre de sa chevelure, ses manches retroussées et le flacon qu'il brandissait dans une main.

— Je vous offre l'occasion de me rendre un *immense* service! s'écria-t-il sans lui laisser le temps de placer un mot.

— Comme c'est amusant! Car moi aussi je...

— Ah! Je vous ai battue d'une longueur! Votre tour viendra plus tard, la coupa-t-il en consultant nerveusement sa montre. Que savez-vous de la varicelle, Juliet?

— Pas grand-chose.

— Peu importe. De toute façon il vous suffira de

tenir compagnie à Michael pendant que j'assiste à la dernière moitié d'une réunion tout à fait capitale.

— Hé! Pas si vite! Croyez-vous que je n'aie que cela à faire? Et qui est Michael, d'abord?

Mais déjà Simon réajustait sa cravate d'un air affairé.

— Michael est un de mes jeunes camarades. J'ai promis de m'occuper de lui car son père plaide au tribunal aujourd'hui. Tenez, prenez ceci, ordonna-t-il en lui remettant d'autorité le médicament. Vous en aurez besoin. Et ne vous inquiétez surtout pas, il n'est plus contagieux.

Les yeux verts de Juliet étincelèrent d'indignation.

— Simon! Je ne suis certainement pas venue ici dans le but de servir de baby-sitter. Je...

— Chut! Michael va vous entendre.

Il passa la tête par l'embrasure.

— Michael? Mon amie Juliet va rester avec toi un moment. Elle est très gentille, tu verras. Et ton père ne va pas tarder à arriver.

D'un geste désarmant de tendresse, il caressa les lèvres de Juliet du bout des doigts puis disparut au pas de course dans le couloir. Avec un haussement d'épaules résigné, la jeune femme pénétra dans le bureau. Puisqu'il la mettait devant le fait accompli, autant faire contre mauvaise fortune bon cœur. Une sorte de hamac avait été suspendu à deux crochets au fond de la pièce. Parmi un amas de draps et de couvertures, elle distingua le visage boudeur du petit malade.

— C'est Simon que je veux, pas toi! lui lança-t-il en guise de salut.

Sur ces paroles, le garçonnet lui tourna le dos. *Charmante fin d'après-midi en perspective...* Avec un singulier manque d'enthousiasme, Juliet s'approcha du malade. Comment avait-elle pu imaginer un instant que Simon était fou de joie de la voir ? Il aurait accueilli avec enthousiasme n'importe quelle victime potentielle, susceptible de le débarrasser au plus vite d'une corvée pareille !

— Alors Michael, y a-t-il longtemps que tu as la varicelle ? s'enquit-elle, décidée à rompre le pesant silence.

— Depuis toujours, on dirait !

Il y avait un tel désespoir dans la voix de l'enfant qu'elle en oublia sa propre contrariété. L'éruption cutanée lui couvrait tout le corps, constata-t-elle, apitoyée.

— Cela te démange beaucoup ?

— Oh oui. Partout... Et Simon, lui, me mettait de la lotion à la calamine, ajouta-t-il d'un ton catégorique.

Voilà qui constituait clairement un appel ! Courageusement, Juliet déboucha le flacon que le jeune homme lui avait remis.

— Où veux-tu que je commence, Michael ?

— Par les pieds ! C'est là que c'est le plus insupportable.

Stoïque, Juliet versa un peu de liquide sur le bout de ses doigts et entreprit de masser doucement les points douloureux. Une fois passé le premier moment de répulsion, elle se surprit à apprécier sa tâche. C'était exaltant de réussir à soulager la douleur de cet enfant inconnu ! D'autre part, elle tenait Simon en son pouvoir, à présent. Pas moyen pour lui de refuser l'invitation de Christie après avoir exigé d'elle un service pareil...

— Est-ce que tu connais M. Talcott depuis longtemps, Michael?

Juliet éprouva une singulière sensation de triomphe lorsque le garçonnet daigna lui rendre son sourire.

— Moi, je ne l'appelle pas M. Talcott, mais Simon, riposta-t-il avec fierté. Et je travaille pour lui depuis quelques années.

— Ha ha! Je vois. Tu dois être un de ses « contrôleurs » de jouets, c'est bien cela?

— Oui, avec mon frère Timmy. Mais lui n'a que quatre ans, il est trop petit pour être vraiment efficace. Et puis c'est lui qui m'a donné la varicelle!

Il se tortilla soudain en grimaçant.

— Est-ce que tu pourrais te dépêcher, s'il te plaît? Cela me démange tellement! Et tu es toujours sur le même pied depuis tout à l'heure.

— La méthode n'est pas très rapide, en effet. Voyons... il faudrait inventer une technique plus efficace...

Embrassant la pièce d'un regard circulaire, Juliet repéra des pinceaux et de la peinture sur une étagère.

— Eurêka! Je crois que je tiens notre solution, Michael!

— Fais vite, s'il te plaît, supplia-t-il en se tordant.

Vidant en hâte une coupe pleine de trombones, la jeune femme l'essuya avec un mouchoir avant de la remplir de lotion à la calamine. Puis elle s'empara du plus gros des pinceaux et s'attaqua résolument à la jambe de Michael.

— Hé! Qu'est-ce que tu fais? s'écria-t-il en se dressant sur ses coudes.

— Je te peins! Allons... remonte un peu ton pyjama. Voilà... Tu vois à quelle allure j'avance, cette fois!

Les yeux bleus de l'enfant s'écarquillèrent d'admiration.

— Youp! Simon lui-même n'y avait pas pensé!

Pour un compliment, c'était un compliment! devina Juliet non sans plaisir. Simultanément, elle recouvrait un peu de la confiance perdue au cours de sa discussion avec Christie. Pourquoi ne réussirait-elle pas à prendre soin de son propre bébé puisque tout se passait si bien avec Michael qu'elle ne connaissait même pas?

— Et hop! Te voici enduit des pieds à la tête! Comment te sens-tu maintenant?

— Beaucoup mieux!

Elle lui ébouriffa les cheveux avec affection.

— Veux-tu que je te lise une histoire, à présent? Je vais voir si je trouve quelque chose dans ces rayons.

Juliet entamait le second chapitre d'un livre pour enfants lorsqu'elle entendit derrière elle une voix d'homme qui ne lui était pas tout à fait inconnue.

— Michael?

— Papa!

Dressé sur son séant, le petit garçon tendit les bras. Le nouvel arrivant contourna Juliet et se baissa pour embrasser son fils. Puis il se tourna vers la jeune femme, Michael toujours cramponné à son cou. Elle écarquilla les yeux.

— Philip Gentry!

— Juliet! s'exclama-t-il. Que faites-vous ici?

— C'est une amie de Simon, papa. Elle m'a presque guéri avec un pinceau.

— C'est une vraie fée, alors? Je vous remercie infiniment de vous être occupée de lui, Juliet.

D'un geste distrait, Philip repoussa ses lunettes sur son nez. Ainsi le projet insensé de Simon prenait tournure. Et cela, beaucoup plus rapidement que prévu. Il ne s'était certes pas attendu à trouver Juliet Cavanaugh installée dans son bureau à jouer les gardes-malades! La jeune femme était plus belle encore que dans ses souvenirs; plus amicale et plus chaleureuse, aussi... Certainement pas le type de femme que l'on pouvait épouser en restant de marbre et oublier après six mois! Cette constatation le confirmait d'ailleurs dans ses craintes: son ami ne tarderait pas à se repentir de s'être prêté en toute inconscience à ce simulacre de mariage...

— Simon avait une réunion très importante, expliqua la jeune femme. Alors j'ai tenu compagnie à Michael. Et nous avons passé un excellent après-midi! N'est-ce pas?

Comme Michael acquiesçait, elle lui tendit le petit recueil dont elle avait commencé la lecture.

— Je suis certaine que Simon ne t'en voudra pas si tu l'emportes avec toi.

— Et le pinceau? s'écria-t-il.

— Je prends la responsabilité du pinceau sur moi, déclara Philip en l'empochant. Et maintenant, rentrons vite à la maison. Vous nous excuserez, Juliet ? Je suis vraiment épuisé.

Demeurée seule, la jeune femme se laissa choir dans un fauteuil. Pour tromper son attente, elle essaya de déterminer qui parmi les hommes qu'elle connaissait accepterait de garder toute une journée un enfant malade dans son bureau. Personne, évidemment. Une fois de plus, Juliet découvrait chez Simon un côté attachant, émouvant même. Elle s'approchait du hamac pour mettre un peu d'ordre dans le fouillis des draps lorsque le jeune homme fit irruption dans le bureau.

— Juliet, vous êtes encore là, Dieu merci ! Philip est-il venu chercher Michael ?

— Il y a tout juste cinq minutes.

Simon dénoua sa cravate en souriant.

— Philip est mon meilleur ami. Mais je suppose que ce n'est pas la première fois que vous le rencontrez ?

— Je l'entrevois parfois au tribunal, entre deux portes... Lui et Michael semblent vraiment très attachés l'un à l'autre, commenta-t-elle pensivement. Mme Gentry travaille, je présume, puisqu'elle n'a pas le temps de s'occuper de son enfant malade ?

— Eileen les a quittés il y a un an... Mais je vous raconterai toute cette histoire une autre fois.

En fait, Simon n'avait pas la moindre envie de parler de Philip ou d'Eileen. Juliet monopolisait soudain toute son attention : sa beauté qui ne lui semblait plus du tout froide, la douce plénitude de ses seins qui se dessinaient avec une certaine insolence sous la soie mouvante de sa large blouse vert émeraude. Comme elle continuait à plier les couvertures, il s'approcha pour lui prendre les coudes. D'un mouvement très doux, il la fit pivoter vers lui et leurs regards demeurèrent un instant rivés l'un à l'autre.

— Je vous suis très reconnaissant, Juliet, murmura-t-il d'une voix caressante. Je me rends bien compte que je vous ai honteusement forcé la main. Il est peut-être un peu tard pour prononcer mon mea culpa, mais...

Infiniment troublée, la jeune femme l'interrompit d'un geste de la main.

— Rassurez-vous, l'épreuve n'a pas été si dure ; Michael a su me séduire ! Je ne suis pas fâchée si c'est là ce que vous craignez.

Mais Simon avait bien autre chose en tête que de la crainte à l'instant même. Il n'avait plus conscience que de sa proximité envoûtante, de la façon dont sa respiration légèrement saccadée soulevait sa poitrine. Avec une lenteur infinie, il l'enlaça, ses yeux soudain plus noirs, insondables et fascinants.

Comme prisonnière d'un cercle magique délimité par ses bras, Juliet entrouvrit les lèvres. Elle trouva les siennes, proches et tentantes. Mais, au moment même où elle s'abandonnait, la réalité de leur situation s'imposa à la jeune femme avec une évidence pénible.

— Simon... où allons-nous ainsi ? murmura-t-elle en se dégageant.

Le jeune homme réprima sa déception lorsqu'elle se déroba à son étreinte. Il glissa la main sous la masse auburn de ses cheveux, découvrant avec délices la peau fine et tiède de sa nuque.

— Où nous allons ? Nous apprenons à mieux nous connaître... Quoi de plus naturel pour deux futurs époux ?

Juliet se raidit.

— Ne remuez surtout pas le couteau dans la plaie, Simon ! Je peux vous assurer que tout aurait été beaucoup plus simple si nous nous en étions tenus à mon plan initial.

— De quel point de vue, par exemple ?

— Ma mère tient absolument à ce que nous venions dîner chez elle ensemble !

Simon éclata de rire.

— Ce n'est donc que cela ! A voir votre mine accablée, je m'attendais à une véritable catastrophe... Sait-elle cuisiner, au moins ?

— Bien sûr ! Mais pas tout à fait les mêmes repas que tout le monde, hélas. Avez-vous une aversion particulière pour les *sushi* japonais ?

— Du poisson cru ? Quelle horreur ! Mais je vous dois bien cela, Juliet. Notez quand même que nous serons quittes à la suite de cette épreuve ! Lui avez-vous annoncé que nous allions nous marier ?

Elle haussa les épaules.

— C'est le genre d'événement qu'il est difficile de passer sous silence. Christie est transportée de bonheur. Je... je n'ai pas eu le courage de lui avouer qu'il s'agissait d'un arrangement.

— Seigneur...

D'un geste plein de sollicitude, Simon lui entoura les épaules et ils échangèrent un regard lourd de signification. Dans quel piège s'étaient-ils précipités de leur plein gré, l'un et l'autre?

Au cours de la semaine qui suivit, Christie appela Juliet à trois reprises afin de mettre au point chaque détail du menu. Du jamais vu. C'était comme si entre Simon et elle, les circonstances s'amusaient à tisser des liens de plus en plus serrés, songeait la jeune femme, décontenancée. Non, tout cela ne ressemblait vraiment en rien à ce qu'elle avait imaginé au moment de passer son annonce!

Le jeudi, Juliet travailla sans relâche jusqu'au soir. Sept heures sonnaient lorsqu'elle referma enfin derrière elle la porte de son cabinet. Simon devait déjà l'attendre en bas! Elle émergeait au pas de course de la cabine de l'ascenseur quand une voix essoufflée retentit derrière elle.

— Miss Cavanaugh, une seconde, je vous prie.

Pivotant sur ses talons, Juliet reconnut aussitôt la jeune femme blonde qui voulait retrouver ses enfants. Comme elle paraissait harassée et inquiète, ce soir encore! Mais sa cliente n'aurait pu choisir un plus mauvais moment. Elle était en retard et il était hors de question de faire patienter sa mère ou Simon.

— Je suis vraiment désolée, madame, mais l'heure de fermeture est passée depuis longtemps, expliqua-t-elle avec un sourire. De plus, je suis très pressée, hélas.

— Je vous en supplie, quelques minutes seulement. Il faut absolument que je vous parle.

L'espace d'une seconde, Juliet hésita. La solitude qu'on devinait chez cette femme avait quelque chose d'effrayant. Mais elle ne pouvait accéder à sa demande. La jeune femme avait une vie privée qu'il était important de respecter. Et cela n'aurait pas été très correct envers Christie et Simon. Avec une compassion sincère, elle posa la main sur le bras de l'inconnue.

— Je ne peux vraiment pas me libérer, je vous assure. Mais revenez demain, je vous recevrai quand vous le désirerez, même sans rendez-vous.

Dévorée par la mauvaise conscience, Juliet coupa court et s'éloigna sans lui laisser le temps de répliquer. Jamais le claquement de ses talons sur le marbre ne lui avait paru aussi agressif que ce jour-là, alors qu'elle s'efforçait de bannir de sa mémoire la vision d'un regard bleu pâle à l'expression égarée...

La jeune femme se voûta un peu en suivant du regard l'avocate qui se hâtait vers la sortie de l'immeuble. Les gens de sa profession n'étaient-ils donc jamais disponibles ? Mais quelle question ! Ne le savait-elle pas d'expérience ? Ce n'était pourtant pas grand-chose ce qu'elle avait voulu lui demander. Juste un coup de téléphone, rien de plus. Son mari aurait été bien forcé d'écouter si c'était quelqu'un comme Miss Cavanaugh qui s'adressait à lui. Peut-être aurait-il même consenti à lui rendre ses enfants si l'avocate avait insisté.

Mais une fois de plus, on se détournait d'elle. Une fois de plus, elle restait là, abandonnée, avec sa solitude, sa vieille et détestable compagne... La poitrine serrée par l'angoisse, la jeune femme sortit sur la place. Elle erra longuement de rue en rue. Devant une épicerie fine, elle hésita un instant, fixant un regard morne sur les bouteilles alignées. Apéritifs, liqueurs, champagne...

Par un effort de volonté, la jeune femme s'arracha à sa contemplation et repartit d'une démarche lourde. Elle avait résisté! N'était-ce pas la preuve qu'elle n'avait nul besoin d'aller à l'hôpital? Toute cette semaine, elle n'avait rien bu, à part quelques verres de vin occasionnels. Mais ceux-là ne comptaient pas. Rien, donc, ne lui interdisait plus d'assumer dès à présent la garde de ses enfants! A la devanture d'un photographe, elle s'attarda longuement devant le portrait de deux petits garçons. Ils étaient sensiblement du même âge que les siens... Une vague de douleur la submergea, lui coupant le souffle. Ses bébés... elle *voulait* retrouver ses bébés! Quoi qu'il arrive. Par n'importe quel moyen et avec ou sans l'aide de son avocate...

Lorsque Simon lui ouvrit la portière de sa BMW, Juliet s'installa sans un mot.

— Avez-vous passé la dernière demi-heure en tête à tête avec un fantôme? s'enquit-il après avoir effleuré ses lèvres. Vous êtes livide.

Juliet eut un pâle sourire.

— J'ai dû éconduire une cliente qui arrivait juste à l'instant. Elle donne une telle impression de détresse que je ne puis m'empêcher d'éprouver un certain remords. Enfin... je préfère ne plus y penser, fit-elle d'un air d'excuse. Si on ne s'accorde pas de vrais moments de répit, dans ce métier, on s'use très vite.

— Je comprends. Parlez-moi plutôt de votre mère, alors.

— Christie ? C'est une artiste. Elle illustre des livres pour enfants.

Cette révélation éveilla aussitôt l'intérêt de Simon.

— C'est passionnant ! Et réussit-elle à gagner sa vie grâce à son art ?

— Elle est reconnue dans son domaine. Avez-vous entendu parler de *Marion et le Lion* ?

Tout en pestant à voix basse contre la circulation, Simon fit rugir son moteur et réussit à passer au feu orange.

— *Marion et le Lion* ? Mais certainement ! J'en ai fait la lecture à Timmy, le petit frère de Michael, il n'y a pas si longtemps.

— Eh bien, les dessins sont de Christie. Elle a un contrat avec cette maison d'édition depuis des années.

Ils arrivaient au sommet d'une colline et Juliet vit le flot de voitures s'écouler à vive allure sur le pont du Golden Gate. Au-delà des premières piles, l'imposante construction demeurait invisible, comme engloutie par la masse opaque du brouillard qui se mouvait d'un seul bloc en direction de la ville. Par chance, les embouteillages de fin d'après-midi étaient à présent résorbés.

— Votre mère a-t-elle toujours vécu à Sausalito ?

— Depuis que je suis toute petite. Elle s'est

installée dans une de ces vieilles maisons que l'on pouvait acheter pour presque rien avant que le quartier ne devienne à la mode. Elle a même envisagé un temps de s'installer dans un bateau-habitation ! Vous verrez, elle est un peu, comment dire ? spéciale, il n'y pas d'autre terme

— Croyez-moi, je m'en suis douté dès que vous avez prononcé le mot de *sushi* ! Je vous préviens que si d'aventure nous nous rendions à Boston, chez la mienne, le menu serait nettement plus traditionnel !

— Selle d'agneau et haricots verts, par exemple ?

— Ce sont ses plats préférés, en effet, acquiesça-t-il en empruntant l'allée que Juliet lui indiquait.

— Voilà, nous sommes arrivés. Vous pouvez vous garer devant la porte du garage.

Mal à l'aise, Juliet risqua un regard à la dérobée en direction de Simon qui considérait les alentours d'un œil sceptique. Là où aurait dû se trouver une coquette pelouse, il n'y avait plus, désormais, qu'un joyeux enchevêtrement d'herbes folles et de fleurs sauvages. Quant à la maison, elle semblait se dissimuler derrière les arbres, comme pour dérober aux regards sa façade de bois fatiguée par l'âge et les intempéries... Juliet sentit sa confiance faiblir. Quelle situation, Seigneur ! Pourquoi avait-elle eu la malencontreuse idée de mentir à Christie ? Pour rien au monde, en tout cas, elle ne consentirait à se rendre à Boston, chez la mère de Simon !

— Je me demande si nous n'avons pas commis une erreur en venant ici, fit-elle en soupirant. Christie est sûrement différente des gens auxquels vous êtes habitué.

— Et alors? Ce sera d'autant plus enrichissant pour moi!

— Admettons... mais avez-vous songé seulement qu'il nous faudra jouer la comédie? Pour ma mère, nous sommes un couple d'amoureux ordinaire, ne l'oubliez pas.

Refermant sa portière, Simon contourna la voiture pour venir prendre ses mains dans les siennes. Elles étaient glacées...

— Ecoutez, Juliet, quel mal y a-t-il à lui laisser ses illusions? Il sera plus facile pour elle d'accepter l'échec d'un mariage que d'admettre que vous avez choisi délibérément de devenir une mère célibataire, vous ne pensez pas?

Tout en parlant, il s'empara de son bras et l'entraîna à sa suite en direction de l'entrée brillamment éclairée. En vérité, Simon était loin d'être aussi sûr de lui qu'il ne le prétendait. Quoi d'étonnant à ce que Juliet soit tendue? En élaborant son projet, il n'avait pas songé un instant que leur accord aurait nécessairement des répercussions au niveau de leurs familles respectives. Boston, par chance, était loin et il pourrait peut-être passer sous silence une union de six mois. Mais Sausalito n'était qu'à un pont de distance...

Déjà la porte peinte en bleu turquoise s'ouvrait à la volée.

— Vous voilà!

— Christie, je te présente...

— Quel besoin de me le présenter? Cela ne peut être nul autre que Simon!

Jetant les bras autour du cou de Simon, leur

exubérante hôtesse lui plaqua un baiser sonore sur chaque joue. Eberlué, il réussit de justesse à maintenir son équilibre.

— Je suis ravi de faire votre connaissance, Christie !

Bien qu'il fût averti, Simon dut faire un louable effort pour dissimuler son étonnement. En kimono violet avec un gardénia en équilibre instable dans la masse capricieuse de ses cheveux d'un roux flamboyant, Christie Cavanaugh offrait un spectacle pour le moins déroutant !

— Mmm... je suis prêt à parier que nous allons déguster des spécialités japonaises ce soir, s'exclama-t-il avec bonne humeur, une fois remis de sa surprise.

Christie leur entoura les épaules et les entraîna à l'intérieur.

— Vous avez deviné juste, mon futur gendre ! Et comme je tiens beaucoup à créer l'ambiance adéquate, je vais vous demander à tous deux d'enlever vos chaussures à l'entrée.

Penchée en avant pour retirer ses escarpins en vernis noir, Juliet lui glissa à l'oreille :

— Je suis désolée.

— Quelle idée ! L'expérience va être encore plus éclairante que je ne le pressentais...

— Venez, maintenant ! intima Christie en les précédant à l'intérieur.

Enfonçant les pieds avec délices dans le haut tapis de laine blanche, Simon promena sur la salle de séjour un regard circulaire. Un sourire appréciateur erra sur ses lèvres.

— Voilà qui est tout à fait extraordinaire !

Pas une chaise, pas un fauteuil dans cette pièce ! Dans un bruissement de soie, Christie alla jusqu'à la table en laque noire et s'assit en position du lotus sur un coussin de satin jaune. Peut-être y avait-il une certaine ostenstation dans tant d'excentricité. Mais qu'importe ? La pétulante artiste lui inspirait d'emblée une immense sympathie.

— Et à présent, je veux tout savoir sur vos projets de mariage ! s'exclama Christie lorsqu'ils eurent suivi son exemple. A quand la cérémonie ?

Réprimant une grimace, Juliet jeta un coup d'œil furtif du côté de Simon. S'il avait fixé une date, il avait omis de la mettre au courant...

— Ce sera le samedi de la semaine prochaine, annonça-t-il avec désinvolture.

La mère de Juliet ouvrit de grands yeux.

— Déjà !

— Oui, j'aurais dû te prévenir, maman. Mais nous avons décidé de ne pas attendre, expliqua Juliet, volant à la rescousse

— Mm... je commence à comprendre. En fait, tout était déjà prévu depuis longtemps. Vous avez tardé à m'en parler, voilà tout !

— Oh non ! Enfin... oui, balbutia la jeune femme en prenant soin d'éviter le regard de Simon. Nous sommes très pris, l'un et l'autre, tu sais ce que c'est.

— Mais vous aurez le temps de partir en voyage de noces, quand même ?

En voyage de noces ! Simon et Juliet ouvrirent la bouche en même temps, mais le « non » prononcé d'une voix étranglée par la jeune femme fut presque noyé par le « oui » retentissant de son compagnon.

Christie arqua un sourcil, un peu étonnée par leurs réactions contradictoires. Se doutait-elle de quelque chose ? Juliet jeta un regard affolé du côté de son « fiancé ».

— Euh... tu as dis « oui », Simon ?

— Bien sûr, ma chérie. Qui dit mariage, dit voyage de noces, voyons !

— Mmm... j'ai l'impression que vos avis divergent sur la question, observa Christie d'un air suspicieux. Et où comptiez-vous vous rendre ? s'enquit-elle en se tournant vers Simon.

— Dans la petite ville de Carmel, sur la péninsule de Monterey. En vérité, je comptais faire la surprise à Juliet.

— Oh, mon Dieu ! Et moi qui viens de tout gâcher ! Mais il faut bien que ma fille soit mise au courant afin de pouvoir se libérer, n'est-ce pas ? Et Carmel ! Quel choix romantique. L'océan, ce merveilleux paysage de collines, les boutiques pittoresques ! Voilà un projet qui se fête. Je vais vite chercher les apéritifs.

Dès qu'elle eut disparu dans la cuisine, Juliet souffla à l'oreille de son compagnon :

— Vous vous moquez vraiment de moi ! Non seulement, vous ne m'aviez pas informée de la date de la cérémonie, mais en plus vous organisez un voyage de noces à mon insu. Pour autant que je sache, ce séjour à Carmel ne figure pas dans notre contrat !

— Est-ce ma faute ? L'idée vient de votre mère, pas de moi ! D'ailleurs, c'est vous qui voulez un enfant, si je ne m'abuse ! Mais chut ! La revoilà...

Les joues en feu, Juliet bénit l'arrivée de sa mère portant un plateau avec trois minuscules bols en porcelaine et une assiette de *sushi*.

— Du *saké* chaud ! annonça leur hôtesse avec un sourire très japonais. A vous deux ! Je bois à un avenir heureux.

Elle prit une gorgée d'alcool de riz tout en couvant sa fille d'un regard radieux.

— Mon Dieu, Juliet, voilà des années que tu n'as pas eu d'aussi bonnes couleurs ! La perspective du mariage te réussit.

La jeune femme crut un instant qu'elle allait s'étrangler en buvant son apéritif. Simon, lui, était tout sourire. Pire même, il semblait s'amuser beaucoup de son embarras... Très à l'aise, il dégustait ses *sushi* comme s'il n'avait mangé que cela toute sa vie.

— A nous ! proclama-t-il en se penchant pour lui effleurer la joue.

Troublée, embarrassée, furieuse, Juliet tressaillit. *Qu'il s'arrête. Qu'il mette un terme à l'instant à cette comédie !*

— Vous êtes parfaitement assortis, vous deux, décréta Christie d'un ton péremptoire. Il faudra à l'occasion que je fasse établir une comparaison de vos thèmes astraux pour en être tout à fait certaine.

— Oh non ! gémit Juliet.

— ... Mais mon astrologue est en vacances pour l'instant. Nous verrons cela plus tard. Je vais aller

114

chercher le *suki yaki*, le plat de viande, mes enfants.

Juliet se leva aussitôt, bien décidée à fuir un second tête-à-tête avec Simon.

— Laisse-moi t'aider, Christie.

— Il n'en est pas question, ma chérie ! Tu ne vas pas abandonner ton fiancé ainsi.

A contrecœur, la jeune femme s'agenouilla de nouveau sur son coussin de satin rose. Assis en tailleur, Simon jubilait. Le terme de « fiancé » appliqué à sa personne n'était certainement pas étranger à cette insolente bonne humeur.

— Quel plaisir de vous voir obéir aux ordres pour une fois ! Votre mère est vraiment extraordinaire…

Juliet le foudroya du regard.

— Ah vraiment, vous trouvez ?

— Il n'y a qu'une seule chose que je ne parviens pas à m'expliquer… Comment diable une femme comme Christie a-t-elle pu mettre au monde une fille telle que vous ?

Juliet ne se l'expliquait pas non plus. Que de fois ne s'était-elle pas interrogée à ce sujet !

Pendant le reste du repas, Christie et Simon débattirent avec entrain des rapports entre enfants et créativité. Juliet, elle, demeurait silencieuse. Pourquoi fallait-il qu'ils s'entendent si bien, elle et lui ? Manifestement séduite par son futur gendre, Christie tomberait des nues lorsque Juliet lui annoncerait « l'échec » de leur mariage dans six mois…

Ce fut avec un malaise croissant qu'elle écouta

Simon s'enthousiasmer sur les œuvres de sa mère durant le trajet du retour. En tout cas, sa résolution était prise : d'une façon ou d'une autre, il faudrait qu'elle limite le plus possible les contacts futurs entre lui et Christie. Ce mariage n'était après tout qu'un arrangement commode, une formalité. En aucun cas, ils ne devaient perdre de vue cette optique.

Face au mutisme obstiné de sa compagne, Simon finit également par se taire. Lorsque la BMW s'immobilisa devant l'immeuble où vivait la jeune femme, il résista même à la tentation de la prendre dans ses bras. Vu la façon hâtive dont elle prenait congé, il était clair que le moment serait mal choisi... Sans s'attarder à la suivre des yeux, il démarra en trombe. Qu'était devenue sa bonne humeur, tout à coup ? Peut-être était-ce la perspective de ce mariage factice qui le contrariait. Simon commençait à éprouver un réel attachement pour Juliet. Qui sait ce qui aurait pu se passer s'ils s'étaient rencontrés dans d'autres circonstances ? Hélas... Le côté terre à terre de l'étrange pacte qui les liait allait tout compromettre, inéluctablement. Sourcils froncés, Simon accéléra encore son allure. Finalement, c'était Philip qui avait raison. Ce maudit projet risquait bel et bien de se révéler moins anodin que prévu...

Le lendemain seulement, Juliet se rendit compte qu'elle se mariait dans un peu plus d'une semaine. Et elle ne savait même pas à quelle heure se déroulerait la cérémonie ! Comment une femme aussi organisée qu'elle avait-elle pu oublier de se renseigner, la veille ? Il ne lui restait plus qu'à se résoudre à l'inévitable : contacter Simon une fois de plus...

— Ah ! c'est vous, Juliet ? Vous dites que nous avons encore quelques détails à régler ?

— Bah... une ou deux vétilles, comme l'heure et le lieu de notre mariage, par exemple, répondit-elle d'un ton détaché.

— Samedi après-midi, quinze heures trente. Dans la mairie de votre quartier.

— Parfait.

Avec une sensation d'irréalité totale, la jeune femme griffonna les renseignements sur son agenda comme s'il s'agissait d'un banal rendez-vous chez un dentiste !

— Bien, c'est noté... Passons au voyage de noces, maintenant. Si vous pouviez me préciser notre emploi du temps, cela me permettra de prévenir mes clients.

— Contentez-vous d'annuler toutes vos consultations pendant la semaine qui suivra le mariage. Nous verrons ensuite.

— Une semaine ! Mais c'est de la folie ! Comment allons-nous nous occuper pendant tout ce temps ?

La jeune femme regretta sa question avant même d'avoir fini de la poser. Un long silence s'ensuivit. Puis, la voix de Simon retentit, étrangement neutre.

— Il semble que nous ayons en effet quelques détails à régler ensemble, vous et moi. Pourquoi ne pas dîner ensemble demain soir ?

Juliet fronça les sourcils. Assise à son bureau, avec une bonne moitié de la ville entre eux, elle se sentait en mesure de lui tenir tête. Mais que resterait-il de ses résolutions lorsqu'elle aurait Simon en face d'elle, dans un cadre vraisemblablement romantique?

— Hum... ne serait-il pas préférable de mettre tout cela au point dès maintenant, par téléphone?

— Impossible! J'ai une réunion dans... mon Dieu, elle a déjà commencé! A demain huit heures! Je passerai vous prendre.

Juliet raccrocha lentement, étourdie une fois de plus par le tour que prenaient les événements. Par chance, elle entendait Linda s'activer dans le bureau voisin. Et il devenait urgent de mettre son amie au courant des derniers développements de son affaire!

Elle trouva la jeune femme en jean et sweatshirt, très absorbée par la pose de ses étagères. Juliet balaya la pièce d'un coup d'œil circulaire.

— Magnifique, Linda! Tu as fait des miracles.

La jeune femme essuya sur son pantalon ses mains couvertes de poussière.

— Je ne suis pas mécontente de moi, en effet. L'installation devrait normalement être terminée la semaine prochaine.

— Et ensuite? Seras-tu disponible? s'enquit Juliet non sans arrière-pensées.

— Je serai libre comme l'air, ma chère! Ma nouvelle garde d'enfants est une vraie perle! Mais pourquoi cette question? Aurais-tu besoin de moi par hasard?

Juliet rassembla son courage.

— Euh... je t'ai dit que tout s'était bien passé lors de cette rencontre avec Simon à Union Square, tu te souviens?

— Tout à fait. Tu es d'ailleurs restée très évasive à ce sujet. Avez-vous mis quelque chose au point?

— En quelque sorte... nous nous marions la semaine prochaine!

Abasourdie, Linda se laissa tomber sur une chaise.

— Toi, te marier? Après avoir proclamé toute ta vie que tu considérais le célibat comme le principe de base de ton existence, tu épouses le premier venu? Cette fois, je ne te suis plus, Juliet.

La jeune femme ne put s'empêcher de sourire.

— Rassure-toi, ce n'est pas tout à fait aussi dramatique. Il s'agit simplement de rendre service à Simon. Il a besoin d'une épouse pour une vague question d'héritage. C'est un banal arrangement à l'amiable qui prendra fin dans six mois.

— Mon Dieu, quelle histoire! Et quand vas-tu me le présenter, ce mystérieux Simon?

Juliet fronça les sourcils.

— Je ne sais pas... Ne prends surtout pas ma relation avec lui trop au sérieux, Linda. La séparation aura lieu dès que je serai enceinte. C'est stipulé clairement dans notre contrat. Je ne veux surtout pas que des liens se créent entre nous!

— Aucun lien affectif en six mois de mariage? Ce n'est pas très réaliste, Juliet. Es-tu bien certaine de vouloir te prêter à ce jeu?

— Pourquoi pas? balbutia-t-elle, prise de doute.

— Parce que j'ai l'impression très nette qu'il se passe bel et bien quelque chose entre vous. Comment Christie a-t-elle réagi?

Juliet saisit aussitôt la perche.

— Avec un enthousiasme pour le moins inattendu! Au point que je n'ai pas osé lui préciser les conditions exactes. En bref, elle a invité Simon à dîner, a mis sur le tapis la question du voyage de noces et nous voilà plus ou moins contraints d'aller passer quelques jours à Carmel! Crois-tu être en mesure de me remplacer pendant ce temps-là?

— Un voyage de noces! Mmm... Plutôt romantique pour un mariage qui ne devrait exister que sur papier, non? fit Linda, taquine. Mais tu as raison, autant apprendre à le connaître, après tout. Absente-toi aussi longtemps que tu le voudras, je prends tout en charge.

Avec un large sourire, Juliet se percha sur le bureau de son amie.

— Tu es un amour, Linda. Nous mettrons tout cela au point la semaine prochaine. Ah! juste une chose encore, au cas où j'oublierais: te souviens-tu de la jeune femme blonde très timide que tu as dû entrevoir le premier jour où tu es venue ici?

Linda demeura un instant pensive puis son visage s'éclaira.

— Mmm... grande, mince... pourrait être très belle si elle s'en donnait la peine?

— C'est cela. Elle est arrivée hier au moment même où je partais et je n'ai pas pu la recevoir. Tu ne trouveras pas de dossier sur elle mais, en deux mots, elle désire obtenir la garde de ses enfants et

120

souffre manifestement d'un problème de boisson. C'est quelqu'un qui m'émeut beaucoup, Linda. Elle est tellement seule et perdue, et...

— Je vois, inutile de m'en dire plus! Ne crie surtout pas sur les toits que tu as un cœur d'or car nous risquerions de courir à la faillite l'une et l'autre!

Rassérénée, Juliet réintégra son bureau quelques minutes plus tard. Prendre Linda comme associée avait été une heureuse initiative! Avec un soupir de satisfaction, la jeune femme se renversa contre son dossier. En définitive, tout se passait plus ou moins comme elle l'avait prévu. Exception faite du mariage, bien sûr. Mais il convenait de relativiser les choses. A l'échelle d'une vie, que représentaient ces six mois de mariage sinon une goutte d'eau dans l'océan?

6.

Juliet se laissa glisser avec délices dans le bain parfumé, savourant la subtile caresse de la mousse sur sa peau nue. Il y avait tellement longtemps qu'elle ne s'était pas accordé le luxe de paresser ainsi ! *Ce soir, je dîne avec Simon et dans une semaine, je serai mariée*, songea-t-elle, incrédule. Naturellement, la cérémonie ne serait qu'une formalité. Mais ensuite… ensuite, ils iraient en voiture à Carmel et alors…

En dépit de la tiédeur ambiante, un frisson parcourut Juliet. Lorsqu'elle avait mis au point son projet de maternité, elle n'avait pas pensé un instant aux implications concrètes de sa décision. Mais à présent, cet homme qui allait lui donner son enfant avait acquis un visage et un nom, ce n'était plus une entité abstraite ! *Simon Talcott*… Rêveuse, elle chercha à se représenter dans ses bras, dormant dans le même lit. Comme cela paraissait irréel, et même un peu effrayant !

Le carillon de la sonnette vint interrompre brutalement le cours de ses rêveries. *Qu'ils sonnent donc!* En l'occurrence, elle avait bien mieux à faire que d'aller ouvrir. Essayer d'imaginer si Simon dormait nu ou en pyjama, par exemple... La sonnerie retentit de nouveau, insistante.

— Allez-vous-en! marmonna-t-elle. Je ne suis pas là!

Il était deux heures de l'après-midi, elle n'attendait personne et ne demandait qu'une chose: continuer à rêvasser dans son bain! Hélas, son visiteur, quel qu'il fût, ne s'avouait pas vaincu. A travers la cloison, elle entendit une voix masculine étouffée criant Dieu sait quoi. Résignée, Juliet s'arracha à la tiédeur de l'eau. L'immeuble entier était peut-être en feu, qui sait?

— J'arrive! fit-elle en s'enroulant dans un immense drap de bain.

En laissant des empreintes sur la moquette, elle traversa le couloir. Après avoir vérifié que la chaîne de sécurité était en place, la jeune femme tourna la poignée. Interloquée, elle reconnut les traits souriants de son visiteur.

— Simon!

— Ah! quand même! Il vous en aura fallu du temps pour ouvrir une porte!

Elle réprima un mouvement d'effroi, comme si Simon avait pu lire sur son visage de quelle façon elle venait de penser à lui...

— Que faites-vous ici? riposta-t-elle. Vous deviez passer à huit heures du soir et je suis dans mon bain.

— Faux! Pour autant que je puisse en juger,

124

vous êtes dans votre vestibule, à moitié nue, probablement glacée, à argumenter avec moi. Ne serait-il pas plus simple de me laisser entrer ?

— Une seconde, je vais chercher un...

— Ah non! Je n'ai pas l'intention de passer l'après-midi entier debout dans ce couloir! Ouvrez-moi tout de suite, je m'engage solennellement à me conduire en homme du monde!

Avec un haussement d'épaules, Juliet obtempéra, prête à s'enfuir au plus vite en direction de la salle de bains. Mais Simon l'en empêcha. D'un doigt caressant, il creva la bulle de bain moussant qui scintillait encore sur l'arrondi de ses épaules.

— Vous êtes irrésistible ainsi, Juliet. Vous avez de la chance que je mette un point d'honneur à toujours tenir parole, sinon...

— *Simon Talcott*! Un peu de tenue, s'il vous plaît. Et vous n'avez toujours pas répondu à ma question. Vous êtes en avance de six heures sur notre rendez-vous!

— Est-ce ma faute si je ne parvenais plus à contenir mon impatience?... D'autre part, j'ai un nouveau cerf-volant à tester, et j'aurai besoin d'une assistante, ajouta-t-il d'un ton plus enjoué. Habillez-vous vite, nous irons sur la plage. Il fait un temps superbe! Et je vous montrerai ma maison.

L'espace d'une seconde, Juliet hésita. Il y avait sûrement une foule de bonnes raisons pour refuser mais elle avait beau chercher, aucune ne lui venait à l'esprit! La jeune femme sourit.

— Vous êtes ici chez vous, Simon. Je vous rejoins dans un instant.

Comme à regret, il vit disparaître sa gracieuse silhouette dans ce qui devait être la salle de bains. Abandonné à lui-même, Simon flâna d'une pièce à l'autre, curieux de découvrir ce que le cadre de vie de la jeune femme lui révélerait sur sa personnalité. La salle à manger, toute meublée en style Louis XVI, était d'un goût parfait mais d'un extrême classicisme, constata-t-il, un peu déçu. Le séjour, en revanche, le séduisit immédiatememt. Un subtil mariage de teintes pastel donnait à la fois une impression de clarté et de chaleur. Un lieu accueillant, amical, où il devait faire bon se prélasser. Echouant à la cuisine, il ouvrit le réfrigérateur et le trouva presque vide ! Mmm... Juliet ne devait pas passer beaucoup de temps devant ses fourneaux !

Un verre de jus d'orange à la main, Simon se jucha sur un tabouret, en proie à une certaine perplexité. Cette brève incursion dans son domaine privé ne levait en rien l'énigme que la jeune femme représentait pour lui. En l'espace de quelques rencontres, il avait dénombré tant d'aspects contradictoires dans son personnage ! L'avocate, froide, sûre d'elle, un rien hautaine. La jeune femme spontanée et espiègle dont il avait eu un bref aperçu la première fois qu'elle était venue à son bureau. La naïade qui lui avait ouvert la porte aujourd'hui même, si désirable dans son drap de bain bleu clair...

— Si vous voulez boire quelque chose, servez-vous ! retentit la voix de Juliet, de quelque part au fond de l'appartement.

Se guidant au son, il se mit en quête de la jeune

femme et la trouva dans le couloir, toujours drapée dans sa serviette éponge.

— Ah non! vous n'avez pas progressé d'un pouce depuis tout à l'heure! Dépêchez-vous, voyons!

Le menton levé, Juliet se glissa dans sa chambre et lui ferma la porte au nez.

— Je dispose encore de beaucoup de temps avant l'heure officielle de votre arrivée, Simon Talcott, cria-t-elle à travers le battant clos. Et je fais ce que je peux!

Quelques minutes plus tard, elle apparut dans le séjour, vêtue d'un ensemble de laine blanche, confortable et très sport. Simon émit un long sifflement admiratif. Une telle impression de fraîcheur se dégageait d'elle! Mais ce qui l'attirait le plus, ce qui l'avait toujours attiré, étaient ses yeux, ces incroyables prunelles vertes. S'il n'avait pas réussi à se forger une image cohérente de la personnalité de Juliet, il tenait en tout cas une vérité incontournable à son sujet: elle était belle, d'une beauté à couper le souffle! De quoi renoncer à l'instant à toutes les plages du monde. Et pourtant... Simon savait d'instinct qu'il convenait de ne surtout rien brusquer.

— Venez, fit-il d'une voix rauque. Partons...

Simon avait raison, constata Juliet en sortant de son immeuble. Il faisait un temps à courir derrière un cerf-volant, un temps à fouler le sable de la plage, à respirer l'air de l'océan. L'épaisse chape de brouillard qui avait pesé toute la matinée sur les

toits de la ville s'était enfin levée et les rues scintil-
laient sous un ciel d'un bleu très pur.

Dix minutes plus tard, la BMW filait sur l'auto-
route et ils laissaient derrière eux les dernières
banlieues de San Francisco. Bientôt, la route s'éleva au-dessus du niveau de la mer et serpenta dans
un paysage de collines avant de se rapprocher de
nouveau de la côte. Mais cette fois au sommet
d'immenses falaises qui surplombaient de très haut
le déferlement puissant du ressac. Simon avait
ouvert le toit et la jeune femme s'abandonna avec
délices à la caresse du soleil sur son visage.

— Je suis bien, fit-elle simplement.

Simon se contenta de sourire. Comme ils appro-
chaient de Half Moon Bay, la roche abrupte disparut, cédant la place à la rondeur des dunes. Plus
bas, c'était la blondeur du sable fin, le large ruban
de la plage qui semblait se dérouler à l'infini,
contrastant avec la froide splendeur bleue des eaux.
Simon se gara devant un bungalow en bois de cèdre
patiné dont les hautes vitres rectangulaires donnaient sur la route.

Juliet fut séduite au premier coup d'œil mais de
toute évidence, Simon était bien trop impatient
d'essayer son cerf-volant pour prendre le temps de
lui faire visiter sa maison. Fascinée, elle assista aux
préparatifs. Un vent tonique lui fouettait le visage
et elle sentit l'excitation de Simon se communiquer
à elle. Il avait une telle faculté de s'investir entièrement dans ce qu'il faisait !

Il tira face au vent le cerf-volant aux couleurs
vives qui s'éleva droit vers le ciel. Maniant les

128

ficelles avec dextérité, Simon l'amena à plonger presque jusqu'au sol. Au dernier moment, cependant, il amorça un virage aigu, partit à toute allure sur la droite, évita de justesse une vague déferlante et remonta dans un vol glorieux, sa longue queue décrivant d'élégantes ellipses.

Brusquement, Juliet se rappela à quelle occasion elle avait elle-même lancé un cerf-volant. C'était en compagnie de son père, quelques jours seulement avant qu'il ne les abandonne, Christie et elle. Elle se revit soudain, petite fille émerveillée, suivant des yeux le gracieux jouet qui semblait devoir s'enfoncer à jamais dans le ventre rond des nuages...

Simon courait à présent dans sa direction, le visage illuminé par un sourire triomphal.

— Il est magnifique, Simon !

— Voulez-vous essayer ?

Au moment même où elle tendait la main pour prendre les poignées, Juliet se raidit et retira son bras. Il lui paraissait soudain impossible de réitérer l'expérience. Plutôt garder intact le souvenir de cette dernière journée passée avec son père...

— Non merci, cria-t-elle pour couvrir le bruit du vent. Je préfère vous regarder.

Préoccupé par ce revirement inattendu, Simon attacha les ficelles à un morceau de bois profondément enterré dans le sable. Abandonnant le cerf-volant à son sort, il entoura les épaules de la jeune femme.

— Que se passe-t-il, tout à coup ?

— Rien. Je n'ai pas envie, simplement.

— Vous êtes trop sérieuse, Juliet. N'avez-vous donc vraiment jamais appris à jouer?

Elle détourna la tête, le regard rivé sur la danse heurtée de petits échassiers qui esquivaient en criant les longs jets d'écume chaque fois qu'une vague se brisait avec fracas sur le sable.

— J'ai l'impression d'entendre mon père. Il était expert dans l'art du jeu, lui, fit-elle avec amertume.

Simon la sentit trembler sous ses doigts.

— Christie m'a appris l'autre soir que votre père vous avait quittée quand vous étiez encore une enfant. Est-ce pour cette raison que vous ne parlez jamais de lui?

— Que voulez-vous que j'en dise? murmura-t-elle en enfonçant les mains dans ses poches.

— N'est-ce pas en partie à cause de lui que vous éprouvez cette aversion pour le mariage? s'enquit-il doucement. Vous avez peur, n'est-ce pas?

Elle se dégagea, ses yeux verts lançant des étincelles.

— Je vous interdis de m'analyser ainsi! Je n'ai pas peur! J'ai ma vie bien en main et je n'ai rien à craindre, que ce soit clair!

D'un geste ferme, Simon lui reprit le bras et en dépit de ses résistances, l'attira de nouveau contre lui.

— Venez, marchons un peu, murmura-t-il.

Juliet ne répondit pas, mais lui emboîta docilement le pas. Leurs empreintes sur le sable s'étiraient déjà sur plusieurs centaines de mètres lorsque la jeune femme réussit à maîtriser son inexplicable accès de colère et à prendre de nouveau la parole.

— Contrairement à ce que vous pouvez penser, je ne déteste pas mon père. Oh, je n'ignore pas l'opinion des experts en la matière : les filles abandonnées très tôt par leur « père » ont tendance à se méfier des hommes. Mais ce n'est pas là mon problème. La seule chose que je reproche au mien c'est de n'avoir vécu qu'au gré de ses caprices. S'amuser était tout ce qu'il savait faire.

— C'est pourquoi le fait de jouer vous procure un sentiment de culpabilité.

— Ce n'est pas vrai !

Ses mots sonnaient faux, admit-elle. Comment nier qu'elle avait toujours consacré sa vie au travail, excluant d'office toute autre occupation ? Mais jouer… A quoi bon ? Se divertir lui avait toujours paru tellement inutile et frivole. Comme s'il lisait dans ses pensées, Simon reprit :

— Jouer nous permet d'entrer en contact avec ce que nous sommes vraiment, Juliet.

Il lui prit la main.

— Je suis loin d'être inactif, moi aussi. Je me tue à la tâche dix heures par jour. Mais ce n'est pas cela qui compte.

— Dites-moi, alors, ce qui compte réellement…

Il hésita un instant.

— En définitive, ce sont les gens. Les gens et les liens qui les unissent. L'essentiel dans la vie, ce sont les familles et les enfants qui grandissent et en fondent d'autres à leur tour. Le reste est accessoire.

Etonnée, Juliet haussa les sourcils.

— Pourquoi ne vous êtes-vous pas marié, dans ce cas ?

— Je n'ai pas rencontré celle que j'attendais. Que j'attends toujours, d'ailleurs. C'est aussi simple et aussi compliqué que cela. Mon épouse sera ma raison de vivre ou ne sera pas. Et je veux que mes enfants soient conçus dans l'amour.

Juliet laissa résonner ces paroles en elle. Il y avait un tel gouffre entre l'idéal qu'il venait d'évoquer et leur contrat, ce papier qui seul justifiait sa présence à côté de cet homme... Assaillie par une brusque sensation de solitude, Juliet se tut, attentive au va-et-vient des vagues. Les mouettes virevoltaient au-dessus de l'eau d'un bleu-noir, leurs cris comme l'essence même de ce majestueux silence de la nature. Et soudain, une détermination exaltée naquit en elle.

Elle serait libre, comme ces oiseaux, et elle apprendrait à son enfant à savourer cette ivresse. L'enfant. C'était lui qui importait. A aucun prix, elle ne devait se laisser prendre au piège de ses sentiments pour Simon. Lui était temporaire. L'enfant serait pour toujours...

Lorsque, un peu apaisée, Juliet se tourna de nouveau vers la plage, elle vit une petite silhouette vêtue de rouge courir à leur rencontre.

— Voilà Michael! annonça joyeusement Simon.

Il s'immobilisa, les bras écartés. Sans ralentir sa course, le garçonnet se précipita contre lui. Simon vacilla, retrouva à grand-peine son équilibre. Il fit tourbillonner l'enfant avant de le reposer, hors d'haleine, sur le sable.

— Ouf! Comme tu as grandi, Michael! Si tu continues ainsi, je ne pourrai plus te porter, tu sais.

Le visage du petit garçon s'illumina. De toute évidence, il était très fier de sa taille. D'un geste affectueux, Juliet ébouriffa ses cheveux blonds.

— Nous avons fini le livre, annonça-t-il en se tournant vers elle. Et je suis presque guéri!

Puis, très sérieux, il s'adressa de nouveau à Simon.

— Nous sommes descendus sur la plage dès que nous avons vu ton cerf-volant. J'ai dit à papa que je vous trouverais mais Timmy croit que vous êtes tombés dans l'océan et qu'un requin vous a mangés.

— Oh, oh! Il serait peut-être temps d'aller le rassurer sur notre sort, dans ce cas.

Mais Michael avait des idées plus urgentes en tête.

— Est-ce que je dois tester le cerf-volant?

— Bien sûr! Je te le confie aussi longtemps que tu voudras.

— Avant Timmy?

Simon comprit qu'il venait de tomber dans un piège tendu avec soin.

— Eh bien, oui. Mais chacun à votre tour, n'est-ce pas!

— Youpi! Dépêchons-nous.

Michael leur saisit chacun une main et commença à courir. Simon et Juliet se laissèrent entraîner en évitant de se regarder.

Philip vit arriver l'étrange trio en secouant la tête. *L'image même d'une famille unie.* Comme les apparences pouvaient être trompeuses, parfois... Il y avait quelques années encore, c'était avec son père et sa mère que Michael avait parcouru la plage, tous trois riant, échevelés, ivres de vent et de liberté. D'un coup de talon rageur, il écrasa un coquillage, enfonçant les débris dans le sable. Elles avaient été tellement heureuses, ces premières années dans leur nouvelle maison, perdue au bord de l'océan. Si au moins il n'avait pas été retenu aussi souvent en ville par un travail qui accaparait tout son temps, Eileen serait encore là et rien n'aurait changé...

Très vite, Philip était entré dans une espèce de cercle vicieux ; plus le gouffre se creusait entre lui et Eileen, plus il s'absentait pour échapper à ses plaintes. A la fin, lorsqu'il lui arrivait de faire le voyage de San Francisco, il trouvait sa femme plongée dans un lourd sommeil comateux. Pourquoi l'avait-il poussée alors à avoir un deuxième enfant ? Le remède n'avait servi qu'à empirer le mal. Quant aux psychiatres, ils n'avaient jamais été d'aucune aide non plus. Peut-être aurait-il fallu trancher dans le vif, se résoudre à déménager ?

Mais à quoi bon s'interroger encore sur le passé ? Tout ce qui comptait à présent, c'étaient les garçons. Le regard de Phil erra un instant sur Timmy. Accroupi au bord des vagues, l'enfant creusait avec ardeur, s'émerveillant de voir monter l'eau dans le trou qui s'effondrait à mesure. Oui, Timmy et Michael rendaient la vie digne d'être vécue. Et cela, même les jours où ils avaient la varicelle ! songea-t-il en souriant intérieurement.

— Papa ! hurla Michael en se détachant de ses compagnons. C'est moi qui commence à jouer avec le cerf-volant !

Sans prendre le temps de s'arrêter, il poursuivit sa course en direction de l'objet tant convoité. Juliet et Simon le suivaient à distance, l'un à côté de l'autre mais sans se donner la main. La jeune femme savait-elle qu'il était au courant de leur pacte ? se demanda-t-il tandis qu'ils échangeaient des salutations.

La conversation s'orienta alors sur les maladies infantiles jusqu'à ce que Simon sente une petite main tirer sur la jambe de son pantalon.

— Hé ! Bonjour, Timmy ! Mais tu n'as plus du tout de marques, maintenant !

Le garçonnet redressa fièrement le menton.

— Ce n'est pas comme Michael qui est encore tout vilain ! Et comme je n'ai que quatre ans, c'est moi qui devrais avoir le cerf-volant en premier.

— Michael a la priorité pour cette fois. Je la lui ai promise. Mais ce sera bientôt ton tour.

— Je vais le lui dire tout de suite ! s'écria Timmy en se lançant à sa recherche.

Il ne fut pas long à revenir, le visage inondé de larmes.

— Michael dit que je ne pourrai pas l'avoir tant qu'il n'en aura pas assez ! fit-il en sanglotant. Et il dit aussi que cela durera probablement tout l'après-midi.

Philip s'agenouilla et lui glissa quelques mots à l'oreille.

— Nous allons voir Michael, déclara-t-il en prenant son benjamin par la main.

— Tu peux garder le cerf-volant deux ou trois jours, lança Simon tandis qu'ils s'éloignaient. Ainsi, ils auront tout le loisir de le tester comme il faut !

— Merci !

Juliet suivit des yeux les deux silhouettes, le père un peu penché, réglant son allure sur celle de son fils.

— Il prend son rôle de père très au sérieux, commenta-t-elle pensivement. Et les résultats sont plutôt concluants.

— Mm...

Simon ramassa un coquillage et le projeta au loin de toutes ses forces. Difficile de nier que Philip avait réussi à élever seul ses enfants. Mais personne à part lui ne mesurait le prix qu'il lui avait fallu payer...

— Il n'a guère eu le choix, murmura-t-il en haussant les épaules. Mais rentrons, à présent, le froid commence à tomber.

Se détournant du soleil couchant, il commencèrent à escalader la dune sur laquelle se dressait le bungalow de Simon.

— Pensez-vous que mon plan va aboutir ? s'enquit abruptement Juliet, les yeux fixés droit devant elle.

Il lui jeta un regard perçant.

— Si c'est une façon indirecte de me demander s'il est encore temps de renoncer, ma réponse est oui, Juliet. Je ne vous intenterai pas de procès si vous rompez le contrat.

— Ce n'est pas à cela que je songeais. J'aimerais connaître votre opinion, c'est tout.

— Vous n'êtes plus très sûre ? insista-t-il.

— Si ! mais je... comment dire ? Je me pose des questions après avoir vu Philip avec Timmy... C'est

136

peut-être idiot de prononcer de telles évidences, mais je me rends compte, tout à coup, que tous les bébés finissent par grandir. C'est une responsabilité immense de mettre un enfant au monde.

Regrettant d'avoir abordé le sujet, la jeune femme jouait distraitement avec un coquillage rose aux nervures délicates. Pourquoi était-elle soudain en proie à une telle confusion ?.... Simon s'immobilisa, frappé par l'intense vulnérabilité qu'elle laissait enfin transparaître. Jamais, elle n'avait été aussi belle qu'en ce moment, avec les derniers rayons d'un rouge intense jouant dans ses cheveux défaits. Mais il n'avait pas le droit de la prendre dans ses bras. C'était une réponse à sa question qu'elle attendait de lui.

— Il me semble que peu de gens mesurent réellement ce qu'implique ce type de décision, en effet. Quoi qu'il en soit, j'estime que si quelqu'un doit y parvenir, ce sera vous.

Juliet parut soulagée.

— Merci.

— ... mais je persiste à penser que c'est nettement plus simple à deux.

Un voile de méfiance assombrit les yeux de Juliet.

— Que cherchez-vous à me dire, Simon ?

— Rien de plus que ce lieu commun très simple : les parents sont normalement deux...

Les poings serrés dans ses poches, Juliet repartit en direction de la maison, enfonçant rageusement les pieds dans le sable. Et voilà, elle aurait dû s'y attendre. Le grand retour des vieux clichés !

— Ils commencent peut-être à deux, mais combien finissent ainsi? Je suis persuadée qu'il est plus sécurisant pour un enfant d'avoir un seul parent, mais d'avoir la certitude de ne jamais le perdre!

— En amour, il n'y a jamais de garanties, Juliet.

Il l'observa à la dérobée. Etaient-ils nombreux à avoir entrevu la femme sensible et craintive qui se dissimulait sous le masque de l'avocate à succès? Ce que Juliet cherchait, c'était un moyen d'échapper au système, d'assurer une vie plus harmonieuse à elle-même et à cet enfant qu'elle désirait. Peut-être était-ce une erreur... Peut-être pas... En tout cas, il n'était pas encore trop tard pour détruire le simple morceau de papier qui scellait leur étrange pacte.

— Etes-vous bien certaine de vouloir aller jusqu'au bout de ce que nous avons entrepris, Juliet? interrogea-t-il en accélérant le pas.

La jeune femme sursauta lorsqu'il posa la question. Si elle voulait tout abandonner, c'était maintenant ou jamais... Mais Juliet hocha la tête, lasse de peser le pour et le contre de ce projet qu'elle caressait depuis toujours.

— Tout à fait certaine. Ma décision est établie depuis trop longtemps... et vous? le défia-t-elle.

Un instant, il demeura silencieux, puis la réponse vint, ferme et assurée.

— Je ne recule pas. Maintenons notre contrat.

Simon lui prit la main et elle le laissa entrelacer ses doigts aux siens. Pour une raison qu'elle ne parvenait pas à déterminer, il lui apparut que le mur de doute et d'incertitude qui les séparait avait soudain disparu. Ils étaient si proches, tout à coup...

Lorsqu'il l'attira à lui, elle enfouit spontanément sa tête au creux de son cou et s'abandonna, étonnée de savourer des sensations entièrement neuves pour elle : celle d'être protégée, à l'abri du monde. Simon resserra son étreinte. Ils allaient s'embrasser, comprit-elle, le cœur battant. Et pourtant, il ne fit aucun geste, attendant que d'elle-même, Juliet lève vers lui son visage offert.

Ses mains dans son dos éveillaient une sensation de chaleur qui brusquement se diffusa dans tous ses membres. Lentement, du bout de la langue, il explora ses lèvres jusqu'à ce qu'elles s'écartent, s'ouvrent à lui. Juliet ne se rétracta pas lorsque sa paume glissa vers ses seins, modelant leur rondeur sous la tiédeur de la laine. Etourdie par l'ardeur de leurs baisers, la jeune femme chancela quand il se détacha d'elle.

— Venez, Juliet, il commence à faire froid. J'allumerai la cheminée et nous mangerons devant le feu. Vous voulez bien ?

Juliet acquiesça en silence, heureuse de prolonger leur tête-à-tête dans l'intimité de sa maison. Ils marchèrent main dans la main vers le bungalow dont le bois blanchi par le temps et les intempéries se confondait presque avec la pâleur des dunes.

Simon la précéda dans une vaste pièce qui occupait tout l'arrière de la construction. Sous le charme, Juliet s'immobilisa sur le seuil. Par les immenses baies vitrées, le soleil qui disparaissait à l'horizon baignait les lieux d'une extraordinaire lumière pourpre. L'effet créé était à ce point saisissant qu'elle retint son souffle comme si elle venait de pénétrer dans un palais enchanté. L'ameublement était pourtant d'une simplicité qui confinait au dépouillement. Tapis écrus en fibre naturelle, tables basses en verre dont les pieds aux formes irrégulières avaient été fabriqués à partir de ces morceaux de bois que l'on trouve, échoués, sur les plages. Et, çà et là des poufs colorés et de grands sacs à billes en cuir bleu remplis de kapok tenaient lieu de sièges.

— Vous aimez?

— Quelle question! Je crois que si je possédais une maison comme celle-ci, je n'aurais plus jamais envie d'aller ailleurs!

Simon se pencha pour disposer du bois d'allumage dans la cheminée.

— Commencez-vous à comprendre pourquoi je suis venu m'installer ici, si loin de la ville? C'est très incommode, mais l'endroit vaut le déplacement...

Il fit craquer une allumette, puis se releva, essuyant ses mains sur son jean.

— Que diriez-vous de manger tout de suite? Cela laissera au feu le temps de chauffer la pièce.

Juliet se garda bien de protester. En vérité, elle mourait de faim depuis une heure! La cuisine de Simon était non seulement bien équipée mais son congélateur était rempli de plats tous plus tentants les uns que les autres. Elle devait reconnaître que l'organisation du jeune homme était plus efficace que la sienne! Ils composèrent un menu tout simple avec des toasts beurrés, une salade composée et une soupe de poisson. L'après-midi au grand air leur avait ouvert l'appétit et ils firent honneur aux plats. Ni l'un ni l'autre ne laissèrent une seule miette dans leur assiette !

Rassasiés, euphoriques, les joues encore brûlantes de vent et de soleil, ils échangèrent un sourire tandis que Simon leur servait du café. Puis il se renversa dans son siège, envahi par une délicieuse sensation de bien-être. Légère, mutine, une vision de Juliet drapée dans sa serviette de bain vint lui taquiner l'esprit.

— Je vous aime beaucoup en bleu, annonça-t-il, une expression énigmatique aux lèvres. La naïade en bleu, c'est un nom qui vous irait bien.

— Mais Simon ! Je porte du blanc !

— Maintenant, oui. Mais cet après-midi...

Une soudaine rougeur envahit les joues de la jeune femme. Ainsi c'était à *cela* qu'il songeait tandis qu'il la dévisageait d'un air pensif ! Pourquoi n'éprouvait-elle aucune colère ? Seulement une étrange émotion, un trouble qui lui faisait battre le cœur... Elle se leva d'un bond, rassembla leurs assiettes et se dirigea vers l'évier.

— La journée s'achève et nous n'avons encore rien mis au point en ce qui concerne notre voyage de noces, Simon ! Nous devons pourtant parvenir à un compromis sur sa durée !

— Ai-je jamais prétendu le contraire ? Il n'est pas trop tard. Venez vous asseoir, ma naïade, nous allons en discuter à l'instant même.

Juliet le suivit jusque dans le séjour, puis s'immobilisa, observant d'un œil inquiet que le jeune

141

homme tirait près du feu *un seul* des grands poufs en cuir bleu.

— Croyez-vous vraiment que ce soit le cadre approprié pour aborder des sujets sérieux? soupira-t-elle en secouant la tête.

— Des projets de voyage de noces sont rarement planifiés comme des réunions d'affaires! Tenez, je vais vous montrer comment on les prépare.

Il s'approcha en riant et la souleva dans ses bras pour l'emmener jusqu'au coussin.

— Lâchez-moi! protesta-t-elle, en se débattant.

— Dans un instant.

Il se pencha pour la déposer sur le siège mais au même moment, Juliet s'accrocha à son cou et ils tombèrent ensemble, étroitement emmêlés, pouffant.

— Moi qui voulais me conduire en galant homme! Mais non restez là, vous n'êtes pas lourde, proposa-t-il comme elle cherchait à se relever... A moins que vous ne vous déplaisiez ici, bien sûr...

— Eh bien...

Juliet baissa les paupières, dissimulant son regard derrière l'écran de ses cils.

— Il fait bon, murmura-t-elle.

Simon lui caressa les cheveux, disciplinant ses mèches rebelles. Il aimait la voir ainsi, accessible, détendue, naturelle. Ses doigts tracèrent avec lenteur la ligne de sa joue, puis de l'index, Simon lui souleva le menton et inclina la tête pour couvrir ses lèvres des siennes. Sa bouche était douce, offerte.

— Tu parais si heureuse, ma naïade en bleu, murmura-t-il en attirant sa tête contre son épaule.

142

Elle sourit.

— Je suis heureuse... d'avoir couru dans le sable, regardé le cerf-volant, d'avoir senti le vent sur mon visage et... et d'être ici avec toi.

Juliet se tut, un peu incrédule face à ce bonheur qu'elle se refusait à analyser. Longtemps, ils demeurèrent allongés l'un contre l'autre, savourant le silence, les yeux perdus dans les flammes. Puis Simon caressa sa joue du dos de la main, lentement, doucement. Elle pivota dans ses bras, se nichant contre lui, effleurant son bras du bout des doigts.

Il était si différent d'elle. Juliet reconnut l'odeur citronnée de son eau de toilette et ferma les yeux, sensible à la tiédeur de son souffle dans sa nuque. On n'entendait plus que la rumeur calme et puissante de l'océan, son va-et-vient sur la plage, son immémorial rythme éternel. Comme possédée par un charme, elle sentit son corps onduler en unisson avec les vagues... Juliet se coula contre Simon, le visage renversé, en attente.

— Mon Dieu, Juliet, tu es si belle..

La jeune femme eut l'impression de flotter entre ses bras, retrouvant au creux de son cou la saveur salée de la brise marine. Grisée, presque ivre, elle glissa les doigts dans ses cheveux, l'attirant à elle, tout animée par le mouvement des vagues qui trouvait en elle comme un écho docile.

Un instant, Simon enfouit sa bouche dans la vallée entre ses seins. Puis il leva la tête, cherchant au fond de ses yeux ouverts une réponse à sa question fiévreuse, muette. Lorsqu'elle bougea contre lui, Simon se sentit emporté par un tourbillon irrépressible tandis que son corps entier se tendait de désir.

Mais lorsqu'il se pencha pour approfondir ses caresses, une transformation immédiate s'opéra en elle. Ses muscles se contractèrent tandis que cessait son léger balancement. *Oh non, elle n'est pas prête.* Juliet ne le repoussa pas, n'offrit aucune résistance, et pourtant l'enchantement était rompu. Juliet s'était éloignée de lui. L'espace d'une seconde, il la serra à l'étouffer puis, par un effort de volonté, retrouva le contrôle de lui-même.

Lorsque Simon se détacha d'elle, Juliet se mordit la lèvre, attendant l'inéluctable. La passion qui l'avait submergée presque jusqu'à l'engloutir avait reflué, lui laissant un sentiment de vide. Mais si elle était déçue, la jeune femme n'était pas étonnée. N'en avait-il pas toujours été ainsi pour elle ? Il était trop tard pour se dérober, en tout cas et elle lui appartiendrait dès ce soir…

Simon cependant demeurait figé, lointain, comme s'il avait renoncé à aller plus loin.

— Je t'en prie, non. Ne me laisse pas, chuchota-t-elle.

Etrangement, Juliet continuait à le désirer, même si l'élan qui la poussait vers lui avait cessé d'être physique. Mais lorsqu'elle ouvrit les yeux, Simon était déjà debout, sa silhouette se détachant sur le fond rouge des flammes.

— Le reste attendra le voyage de noces, décréta-t-il.

Médusée, Juliet cligna des paupières. Que

144

s'était-il donc passé? Aucun homme ne se rétractait après de tels préliminaires...

— Pourquoi? s'enquit-elle dans un murmure à peine audible.

— Parce que ce n'est pas encore le moment.

Il se pencha pour lui effleurer les lèvres.

— Je veux que ce soit bien pour toi comme pour moi.

Juliet leva la main pour toucher sa joue et, sous le modelé puissant des muscles de sa mâchoire, perçut nettement la tension qui grondait en lui. Lorsqu'il tourna les yeux de son côté, Juliet vit qu'ils luisaient comme de la braise, révélant toute l'ardeur d'un désir contenu à grand-peine...

— A propos de notre voyage de noces, Simon...

— Oui? l'encouragea-t-il d'une voix étranglée.

— Je crois que je pourrai m'arranger pour prendre une semaine entière, tout compte fait...

7.

Vêtue de sa seule combinaison de soie crème, Juliet jeta un pull dans la valise ouverte sur son lit. Voyons... qu'avait-elle encore oublié ? se demanda-t-elle, prise de panique. Ses mules ! Impossible de partir en voyage de noces sans ses mules. Pieds nus, elle courut vers l'armoire, en proie à un affolement grandissant. C'était pourtant une habitude chez elle de préparer ses bagages à la dernière minute ! Pourquoi ne parvenait-elle donc pas à se concentrer cette fois-ci ?

La sonnerie du téléphone la prit tellement au dépourvu, qu'elle poussa un petit cri et laissa tomber sa pantoufle en satin avant de se précipiter vers l'appareil.

— Allô ? Ah, c'est toi, maman !... Oui, oui, je suis prête. Enfin, presque ! ... Oui, je comprends, tu es déjà arrivée...

Le combiné calé entre menton et épaule, Juliet arrachait les épingles de ses cheveux, tout en cherchant désespérément à atteindre sa brosse, au bord de la coiffeuse.

— Ecoute, Christie, si je ne raccroche pas dans la seconde qui suit, je vais être en retard!... Moi, nerveuse? Tu veux rire! A tout à l'heure, Christie.

Juliet soupira, se força à compter jusqu'à dix puis courut enfiler ses escarpins, sans cesser de se débattre avec les boutons de son chemisier en crêpe. *Zut! Ma jupe...* Elle retira de nouveau ses chaussures pour passer le vêtement de fine laine blanche. Evitant de justesse de se prendre les pieds dans son déshabillé tombé à terre, elle se précipita vers la salle de bains pour prendre son collier de perles.

Lorsqu'elle rencontra ses yeux hagards dans le miroir, la jeune femme s'arrêta net.

— Ressaisis-toi, Juliet! intima-t-elle sèchement à son image dans la glace.

Combien de fois devrait-elle se répéter qu'il ne s'agissait pas *réellement* du jour le plus important de sa vie? Elle n'allait tout de même pas se mettre dans tous ses états pour quelques papiers à signer! La sonnerie de l'entrée vint mettre un terme à ces exhortations. Un livreur en uniforme lui tendit avec un sourire un plant de trèfle emballé comme le plus somptueux des bouquets.

Interloquée, Juliet remercia, referma la porte et retourna le carton d'une main impatiente : « En guise de porte-bonheur. Détends-toi! ton amie, Linda. » Linda! Juliet avait demandé à son associée de ne pas assister au mariage, refusant qu'elle gâche une partie de son week-end pour une cérémonie somme toute dépourvue de signification.

Et pourtant, Linda avait pensé à elle, songea Juliet, attendrie. Mieux même, elle semblait avoir deviné qu'elle céderait à la panique ! Son amie avait vu plus clair qu'elle et son conseil tombait à point nommé. *Il faut absolument que je parvienne à me détendre, en effet...* Mon collant ! se rappela-t-elle brusquement lorsque l'ourlet de sa jupe effleura sa jambe nue. Au pas de course, elle retourna dans sa chambre et s'effondra sur son lit. Si elle continuait à perdre son temps ainsi, Simon finirait en désespoir de cause par épouser la seule femme présente : Christie !

A quatre pattes, Simon glissa la main sous la commode, explorant centimètre par centimètre l'épaisse moquette grise.

— Où as-tu bien pu passer, maudite chose ?

C'était tout de même incroyable ! Un bouton de manchette ne *pouvait* pas disparaître ainsi ! La sonnerie de l'entrée retentit deux fois avec insistance avant qu'il se résigne à aller ouvrir.

— Oui, oui ! pesta-t-il. Un peu de patience, j'arrive !

Impassible, Philip saisit entre deux doigts la manche défaite de son ami.

— Il me semble que tu as oublié un détail.

— Le bouton de manchette ? Justement, je viens de le laisser tomber. Essaie de le trouver, veux-tu, pendant que je ferme ma valise..

Philip sourit, les bras croisés sur la poitrine.

— Suis-je ton avocat ou ton valet ton chambre ?

— Ni l'un ni l'autre, mais mon témoin pour

aujourd'hui! En vertu de quoi tu es supposé m'assister avec dévouement et bonne volonté! Tiens, il doit être là-bas sous ce meuble. Dépêche-toi, par pitié!

— Eh bien... à t'entendre, on a vraiment l'impression qu'il s'agit du grand jour, marmonna Philip en se baissant. Je croyais que ce mariage n'était qu'un moyen commode de contourner les dispositions que ton père a incluses dans les statuts!

— Je n'ai jamais affirmé le contraire!

— Alors pourquoi es-tu si nerveux? s'enquit Philip avec désinvolture, après avoir repéré au premier coup d'œil le fameux bouton de manchette.

— Nerveux, moi? Ne sois pas ridicule, mon vieux!

Le visage de Simon s'assombrit. Il aurait préféré que son ami ne pose pas tant de questions! Si au moins il avait su lui-même pourquoi il était aussi agité, il lui aurait répondu volontiers...

— Alors? Es-tu bien certain de n'avoir rien oublié?

— Voyons... mon permis de conduire, les réservations à l'hôtel, l'alliance... Ah oui, elle est dans l'autre poche!...

— L'alliance?

— Eh bien oui! La bague rituelle fait partie intégrante du cérémonial, n'est-ce pas?

Choqué, Philip secoua la tête.

— Seigneur! Un objet aussi symbolique pour un simulacre de mariage destiné à durer six mois! As-tu également prévu un bouquet de mariée?

150

Le ton de son ami était lourd de sarcasme mais Simon ne s'en aperçut même pas.

— Un bouquet? Zut! L'idée ne m'était même pas venue à l'esprit.

Il consulta sa montre.

— Il nous reste une heure! s'exclama-t-il en saisissant son ami par le bras. Juste le temps de trouver un fleuriste qui nous en composera un sur-le-champ!

Dans le taxi, Juliet ferma les yeux, passant mentalement en revue le contenu de sa valise. Dans son affolement, elle avait sûrement oublié le plus indispensable. Enfin... il était trop tard, de toute façon, pour revenir sur ses pas! Après le court trajet, la jeune femme paya le chauffeur et se tint un instant immobile sur la petite place déserte. Personne! Brusquement, une sensation de solitude s'abattit sur elle, comme elle se tenait là avec sa valise de cuir rouge d'une main, son vanity de l'autre et son sac coincé sous le bras... Que faisait donc Simon? Pourquoi n'était-il pas venu l'attendre?

En proie à un inexplicable début de panique, la jeune femme pénétra dans la mairie et poussa un soupir de soulagement lorsqu'elle vit Christie se précipiter à sa rencontre.

— Tu es superbe, ma petite Juliet. Je suis tellement contente que tu aies choisi cet ensemble blanc, finalement! Tiens, pose tes affaires, je vais te prendre en photo.

Docile, la jeune femme adressa à l'objectif son sourire le plus radieux.

— Oh ! mon Dieu, non ! Tu as oublié de fermer un bouton de ton chemisier ! C'est la première fois de ma vie que je note chez toi des signes de fébrilité ! Mais quoi de plus naturel ? On ne se marie qu'une fois...

Excepté que cette occasion unique n'était, en l'occurrence, qu'une vulgaire comédie... Et pourtant Juliet avait la gorge sèche, les jambes coupées, et sa nervosité dépassait de loin celle qu'elle avait ressentie en passant ses examens de droit les plus cruciaux !

Pendant que Christie multipliait les prises de vue, Juliet surveillait du coin de l'œil la grande horloge murale. Dix minutes de retard, déjà... Et s'il ne venait pas ? D'une certaine manière, ce serait la meilleure solution, pour elle comme pour lui...

— Voilà qui devrait suffire, annonça Christie en reposant son appareil. Et maintenant, j'ai quelque chose pour toi.

Le visage empreint d'une singulière émotion, elle tendit à sa fille un paquet plat. Un cadeau... Pas un instant, Juliet n'avait songé qu'elle en recevrait puisque ce mariage n'en était pas un. Mais c'était précisément ce « détail » que sa mère ignorait. Comment avait-elle pu la mêler à cette vaste tromperie ? se reprocha-t-elle, le cœur gonflé de remords. Pour Christie, il s'agissait d'un des événements. clés de son existence... Les mains tremblantes, Juliet souleva le couvercle et écarta le mince papier de soie.

— Oh ! mon Dieu, la mantille de grand-mère !

La jeune femme refoula ses larmes. Comment

porter cet objet si hautement symbolique à l'occasion de cette mascarade ? Christie l'enveloppa d'un regard radieux.

— Je savais que tu serais contente. Dépêche-toi de la mettre, voyons, Simon risque d'arriver d'une seconde à l'autre !

— Mais maman, je ne peux pas. Je...

— Balivernes, ma chérie. Même si tu ne te maries pas à l'église, la cérémonie n'en garde pas moins tout son sens. Tiens, laisse-moi t'aider.

S'inclinant devant l'inévitable, Juliet baissa la tête pendant que sa mère déployait sur sa chevelure le délicat carré de dentelle qui se déroula jusque sur ses épaules.

— Mmm... une vraie madone ! déclara Christie en reculant pour immortaliser la scène.

Juliet inspira à fond. Aurait-elle signé le contrat préparé par Simon si elle avait su en mesurer à temps les implications ? Quoi qu'il en soit, les dés étaient jetés et il ne lui restait plus qu'à assumer les conséquences de ses actes. Qu'elle le veuille ou non, Juliet aurait l'allure d'une vraie mariée — le voile y compris...

Quelques secondes à peine après l'arrivée du maire, Simon traversa le hall de son habituelle démarche assurée. Mais lorsqu'il vit Juliet, il s'arrêta net, les lèvres arrondies par la surprise. Qu'est-ce qui avait poussé la jeune femme à se draper dans ces dentelles comme s'il s'agissait d'un véritable mariage ? Mais qu'importe ? Hiératique et grave, Juliet était d'une beauté à couper le souffle. Etrangement ému, il s'avança à sa rencontre.

— Je commençais à m'inquiéter à ton sujet, Simon.

— Je suis désolé d'être en retard. Je... enfin... en un mot, tu es resplendissante.

— Merci.

— A propos de retard, j'ai apporté quelque chose pour toi...

Simon tourna vers Philip un regard éloquent. Ce dernier lui tendit un petit bouquet de fleurs aux couleurs tendres enchâssé dans un tour de dentelle avec de longs rubans en satin pendant jusqu'à terre.

La jeune femme ouvrit de grands yeux.

— Simon! Ce n'était pas la peine de... enfin, je veux dire... il est absulument magnifique, merci.

Il lui saisit fermement la taille et un brouhaha s'éleva autour d'eux tandis que les quelques assistants se présentaient l'un à l'autre. Puis le maire s'éclaircit la voix.

— Et si nous passions aux choses sérieuses, à présent? Je tiens d'abord à vous signaler que le choix d'une cérémonie civile n'enlève rien à la gravité de l'engagement auquel vous vous préparez, Juliet et Simon.

Seigneur, voilà qui commençait bien... La tête bien droite, la jeune femme évitait soigneusement de croiser le regard de Simon. Sa main trembla lorsqu'elle lui tendit le stylo après avoir signé son nom. Elle l'observa à la dérobée comme il se penchait sur le registre. De toute évidence, Simon n'était pas très à l'aise non plus, nota-t-elle, la gorge nouée. Comment avaient-ils pu se prêter de sang-froid à cette imposture?

Lorsque Philip et Christie eurent signé à leur tour, le maire tint un petit discours, instruisant les jeunes mariés des devoirs et des responsabilités qu'impliquaient leur nouveau statut. Le vieil homme prononçait ces recommandations avec une telle conviction que Juliet se raidit, le bouquet serré dans sa main moite. Désespérément, elle s'efforçait de ne pas entendre, résistant à la tentation de hurler pour lui demander d'en finir au plus vite.

D'une voix à peine audible, Juliet répéta son serment à la suite du maire, puis Simon murmura à son tour les paroles requises. Mais lorsqu'il lui prit la main pour passer l'alliance à son doigt, les mots de Juliet ne résonnèrent que trop clairement dans la salle :

— Simon, non ! Ce n'était pas prévu !

Consciente que tous les regards étaient braqués sur elle, la jeune femme rougit et se hâta de tendre de nouveau son annulaire qu'elle avait retiré d'un mouvement brusque.

— Excuse-moi. J'ai... enfin, je ne m'y attendais pas, c'est tout.

Elle avait encore les yeux fixés sur l'anneau d'or qui brillait à son doigt quand le maire prononça la formule finale :

— Et maintenant, Simon, vous pouvez embrasser la mariée.

Pour la première fois depuis le début de la cérémonie, leurs regards se croisèrent et demeurèrent rivés l'un à l'autre. Puis Simon se pencha pour s'emparer de ses lèvres...

Ils roulaient déjà depuis un certain temps, suivant la côte en direction du sud, lorsque Juliet cessa enfin de trembler. Elle jeta un coup d'œil à la dérobée à son compagnon. Simon se taisait, toute son attention concentrée sur la route qui serpentait au-dessus de l'océan. Son mari... Certes, le fait de signer un registre n'avait aucun rapport avec ce qu'était *réellement* un mariage. Et pourtant... perplexe, elle considéra l'alliance glissée à son doigt.

Simon s'en aperçut avec mauvaise conscience. Elle paraissait malheureuse, effrayée même. Il avait commis une bévue en achetant cet anneau. Une erreur parmi tant d'autres...

— Je suis désolé d'avoir acheté cette bague sans te prévenir, Juliet. Je passais près d'une bijouterie hier, et je suis entré sur un coup de tête. Ne te sens surtout pas obligée de la porter.

La jeune femme ne répondit pas tout de suite. D'un côté, elle répugnait à arborer ce symbole, mais paradoxalement, elle n'avait pas non plus la moindre envie de l'enlever !

— Je le garderai pendant la durée de notre séjour à Carmel, déclara-t-elle. Cela nous rappellera que nous sommes en voyage de noces.

Simon alluma la radio, cherchant une station qui diffusait de la musique classique.

— Crois-tu vraiment que nous aurons besoin d'un pense-bête, Juliet ?

— C'est-à-dire que... Nous nous connaissons si peu, que cela paraît presque inimaginable !

— Tu regrettes, n'est-ce pas ?

Juliet se tourna vers la vitre, le regard rivé sur les

falaises rocheuses qui semblaient défier l'océan de toute leur hauteur tourmentée.

— Je ne sais pas... C'est la cérémonie de tout à l'heure qui m'a un peu déroutée. Je ne m'attendais pas à ce que soit si... si sérieux! Pourquoi ce bouquet, par exemple, Simon?

Mal à l'aise, il s'agita sur son siège.

— C'était une idée de Philip. Et d'ailleurs pourquoi pas? Tu portais bien un voile comme une véritable mariée!

— Ce n'était pas du tout mon intention! s'exclama Juliet, sur la défensive. Christie m'a apporté la mantille de ma grand-mère. Comment aurais-je pu refuser de la mettre?

— Oh, je ne te reproche rien, tu sais. Tu étais...

Simon laissa un instant sa phrase en suspens. Pouvait-il lui avouer que lorsqu'il s'était engouffré dans le grand hall de la mairie, sa grâce presque irréelle l'avait abasourdi, comme si une insaisissable figure onirique longtemps poursuivie en songe avait soudain pris corps devant lui?

— ... tu étais très jolie, conclut-il d'une voix incertaine.

— Merci, murmura Juliet.

De toute évidence, la cérémonie ne l'avait pas laissé tout à fait indifférent, lui non plus!

— Te sentais-tu nerveux, Simon?

— Nerveux? Euh... pas vraiment, mentit-il avec aplomb. Et toi?

— Eh bien... à dire vrai, j'étais un peu perturbée par la présence de ma mère, rien de plus.

— Enfin, n'en parlons plus. L'épreuve a pris fin.

Simon soupira, se gardant bien d'ajouter que l'obligation la plus agréable de leur contrat restait encore à remplir... Depuis la soirée passée chez lui, son désir d'elle était resté vivace, comme une flamme en veilleuse qu'un rien pouvait embraser. Juliet avait envahi le champ secret de ses pensées. Sur l'écran de sa mémoire, il projetait à l'infini ces quelques visions obsédantes : elle, abandonnée contre lui, ondulante comme une vague, emportée au gré d'une passion déferlante qui les avait unis... puis séparés.

Juliet se taisait, le front appuyé contre la vitre, abîmée dans la contemplation du paysage. Ils avaient atteint la péninsule de Monterey, une véritable œuvre d'art de la nature, faite de sable, de rochers, et de ces cyprès si particuliers que l'on ne trouvait nulle part ailleurs. L'épreuve avait-elle réellement « pris fin », comme le prétendait Simon ? Le mariage proprement dit n'allait pas sans entraîner à sa suite son lot de traditions ... dont la nuit de noces faisait partie... La jeune femme frissonna envahie par une inexplicable appréhension. En tout cas, il était hors de question de chercher à s'y soustraire ! N'était-ce pas la raison même qui l'avait poussée à accepter ce pacte ? Juliet avait beau se raisonner, cependant, sa gorge se nouait et une nausée insidieuse lui soulevait le cœur.

— Est-ce encore loin ? s'enquit-elle d'une voix atone.

Surpris, Simon détourna un instant les yeux de la route pour observer sa compagne. Elle se tenait contre la portière, toute recroquevillée dans son siège.

— Est-ce que tout va bien, Juliet ?

— O-oui. J'ai juste une sensation étrange...

C'était donc cela ! Simon réprima un sourire

— Phénomène classique ! C'est juste un peu de nervosité combinée à ce long trajet en voiture. L'air frais te ferait du bien. Veux-tu que je m'arrête ici ? Nous arrivons juste à Monterey.

Elle lui décocha un sourire chargé de gratitude, trop heureuse de se voir accorder ce répit inespéré.

— Oh oui, volontiers ! J'ai tellement envie de me promener au bord de l'océan !

Dès qu'ils furent descendus de voiture, elle renversa la nuque, humant avec délices les senteurs marines. Au-dessus d'eux, le ciel était pur de tout nuage et le vent de la baie de Monterey l'enveloppa de son souffle rafraîchissant.

— Pendant que nous sommes ici, nous pourrions manger des calmars ! suggéra-t-elle en désignant un des stands, sur le quai.

— Eh bien.. voilà la transformation la plus rapide que j'aie jamais vue !

Simon repoussa une longue mèche auburn tombée sur le front de la jeune femme. De nouveau, ses yeux d'un émeraude profond étincelaient de joie de vivre.

— Es-tu bien certaine que ton estomac le supportera ?

— Mmm.. bien sûr ! Je meurs de faim.

— C'est un mal auquel il ne sera pas difficile de trouver remède. Du moins, si cela ne te dérange pas que ton dîner de mariage soit servi dans un sachet en papier ! Pourquoi pas d'ailleurs ? Vivons les choses à notre façon !

La sensation de malaise qui avait accablé Juliet toute la journée s'évanouit comme par miracle. Ils mangèrent des encornets sur un banc en bois et partagèrent un café dans un gobelet. Au loin, on entendait les phoques et le son grave et obsédant de la corne de brume, annonçant l'arrivée imminente du brouillard. Une fois terminé leur modeste repas, Simon jeta les cartons vides dans une poubelle et se leva en lui offrant la main.

— Prête?

— Oh non! Enfin, je veux dire... j'aimerais d'abord aller au bout de la jetée pour me détendre les jambes.

— Mmm... il ne s'agirait pas chez toi du fameux « trac » qui précède la nuit de noces, par hasard?

La lueur amusée qui dansait dans ses yeux sombres n'échappa pas à Juliet.

— Quelle idée! rétorqua-t-elle vivement. Je ne comprends même pas à quoi tu fais allusion.

Il glissa suggestivement la main autour de sa taille.

— Tu m'en vois ravi. Car rien ne vaut le plaisir de l'attente... sauf peut-être l'attente du plaisir!

Les joues embrasées, Juliet s'abstint de répondre. Etroitement enlacés, ils flânèrent à pas lents le long du quai. La jeune femme fronça le nez.

— Mmm... les authentiques effluves du Pacifique.

— Ou plus précisément celles des phoques que l'on aperçoit là-bas, ma chère!

Elle s'immobilisa pour s'accouder à la rambarde et scruta l'horizon. C'est à peine si elle réussit à discerner le groupe de chiens de mer installé sur un rocher. Elle leva la tête, suivant des yeux le vol d'une mouette et soudain, la jeune femme sentit derrière elle la pression du corps de Simon contre le sien. Juliet frémit. *Le plaisir de l'attente*, avait-il dit...

— Regarde! Juste en dessous, n'est-ce pas une loutre de mer? s'exclama-t-elle, saisissant le premier prétexte venu pour se dégager de son étreinte.

Simon se pencha à son tour.

— En effet, tu as raison, et elle a un bébé!

— Elle a un air de profonde béatitude, tu ne trouves pas? Comme si rien d'autre ne comptait pour elle que de se laisser bercer par les vagues avec son enfant sur le ventre.

— Et pourquoi s'activerait-elle? questionna Simon. Elle a à manger et probablement un abri pour la nuit. Que lui faudrait-il de plus?

Juliet hocha la tête en silence. Tout paraissait soudain si simple... Elle tressaillit lorsque Simon se redressa, ses doigts refermés sur son épaule.

— Nous aussi nous avons un abri pour la nuit, Juliet. Es-tu prête, à présent?

Elle se tourna vers lui et ses yeux assombris par le désir retinrent un instant les siens. Le sens de sa question était clair, sans ambiguïté possible... Juliet détourna la tête, buvant du regard l'immensité de cette plaine liquide, le moutonnement inlassable des vagues. Loin, à l'infini, la boule ardente du soleil couchant éclaboussait l'horizon de glorieuses traînées pourpres. Simon attendait sa réponse, la seule et unique réponse possible. Un imperceptible sourire étira ses lèvres.

— Oui, Simon, je suis prête…

Leur chambre d'hôtel avait été aménagée dans un style rustique rehaussé par quelques pièces d'une facture plus élégante quoique également d'une grande sobriété. Mais Juliet ne prêta aucune attention à la subtilité de ce décor. Elle ne voyait qu'une chose : le lit ! Un lit immense dont les quatre colonnes sculptées soutenaient un vaste dais en dentelle. A côté de ce véritable monument, le reste du mobilier se perdait dans une totale insignifiance. Et plus Juliet le contemplait, médusée, plus il semblait prendre des proportions démesurées !

— Eh bien ! Je ne suis pas mécontent d'être arrivé, commenta Simon en inspectant les lieux.

Et il n'y avait certainement rien à y redire. L'hôtel luxueux, construit dans le style d'une auberge ancienne, correspondait en tout point à la description qu'on lui en avait faite au téléphone. Il se frotta les mains.

— Est-ce qu'il te plaît, Juliet ?

Elle sursauta.

— Euh… c'est immense.

Immense ? Simon la considéra d'un œil perplexe.

— Pour autant que je puisse en juger, marmonna-t-il, il n'est pas spécialement gigantesque…

— Ah, tu voulais dire l'hôtel ! le coupa-t-elle, rouge de confusion. La chambre est très jolie, en effet.

Simon renonça à lui demander quelle avait été sa première interprétation de sa question. De toute évidence, les pensées de la jeune femme étaient

162

ailleurs. Mais il sentait d'instinct qu'il ne devait pas la pousser dans ses retranchements. Simon lui entoura les épaules et caressa son bras.

Juliet retint son souffle, submergée par un flot de panique. Pourquoi réagissait-elle de façon aussi excessive? Elle n'était pourtant pas prude! Et le soir où ils avaient dîné chez Simon, elle se serait donnée à lui sans hésiter. Alors pour quelle raison obscure ne parvenait-elle à surmonter la peur irraisonnée qui la tenaillait à cet instant?

Du temps! Il lui fallait gagner du temps, par n'importe quel moyen. Son regard affolé erra dans la pièce.

— Oh, Simon! C'est extraordinaire, s'écriat-elle en se dégageant. Nous avons même une cheminée! Et si nous faisions un feu?

Elle s'approcha de l'âtre, effleurant les carreaux bleus et blancs qui ornaient le contour. Simon fronça les sourcils.

— Un feu? A cette heure-ci? Pourquoi ne pas attendre demain? Tu dois être fatiguée après cette longue journée.

— Moi? Oh non, pas du tout!

Perplexe, il scruta son visage avec attention..

— Juliet, commença-t-il. Est-ce que tu es...?

Il s'interrompit, averti par un sixième sens que le moment n'était pas encore venu de lui poser des questions trop intimes.

— Est-ce qu'un peu de champagne te ferait plaisir? demanda-t-il en désignant la bouteille préparée dans un seau.

— Du champagne! Tu en avais commandé?

— Moi? Oh non, je pense qu'il est prévu d'office dans une suite nuptiale

— Une suite nuptiale, répéta-t-elle d'un air égaré.. Euh... oui, j'en boirais volontiers un verre.

Retirant ses escarpins, la jeune femme s'installa dans un fauteuil, les jambes repliées sous elle afin d'occuper tout l'espace. Elle allait devoir résoudre son problème, et vite, songea-t-elle fébrilement. D'où provenait cet étrange malaise? Pas du mariage, en tout cas. La cérémonie avait été plus impressionnante que prévu, mais c'était terminé, à présent et Juliet n'avait pas l'impression d'avoir changé. Alors pourquoi n'éprouvait-elle pas le soulagement escompté à présent que le pire était derrière eux?

Simon, pendant ce temps, avait réussi à déboucher le champagne. Il lui tendit une flûte remplie du pétillant liquide.

— A nous!

La jeune femme but une gorgée.

— Euh... à propos, Simon, de quel côté du lit dors-tu d'habitude?

Il réprima à grand-peine un sourire en se perchant sur son accoudoir.

— Généralement au beau milieu! Et toi?

— Moi, c'est toujours à droite. Mais peut-être tout simplement parce que c'est là que se trouve la table de nuit. J'aime bien être près du téléphone, tu comprends et...

Juliet laissa sa phrase en suspens, consciente de la parfaite inanité de son propos.

— Je te laisse le choix, Juliet. De toute façon,

164

cela fera une grande différence. Surtout après une nuit ou deux.

— Ah...

Simon finit son verre d'un trait et le reposa sur la table basse d'un geste déterminé.

— Cette journée n'a pas été de tout repos. Allons-nous coucher, maintenant.

Les yeux de la jeune femme s'écarquillèrent.

— Déjà ! Mais j'aimerais tellement boire encore un peu de champagne ! protesta-t-elle d'une voix étranglée.

Simon remplit son verre sans émettre de commentaires mais Juliet nota qu'il ne se resservait pas.

— A qui le tour dans la salle de bains ? s'enquit-il.

— Eh bien, puisque tu es très fatigué...

Le regard de Simon se voila.

— Je ne suis pas réellement « fatigué » et tu ne l'es pas non plus. Là n'est pas la question et nous le savons l'un et l'autre. Et maintenant, désires-tu faire ta toilette en premier ?

— Non, non. Je te laisse la place. Prends ton temps, j'ai encore mon champagne à finir.

— J'étais loin de me douter que tu aimais à ce point cette boisson, observa Simon, pince-sans-rire.

Juliet ne prit même pas la peine de répondre. Du coin de l'œil, elle vit Simon ouvrir sa valise et revenir peu après avec une sortie de bain et un rasoir qu'il posa près d'elle sur la table. Pas de pyjama...

— La journée a été éprouvante, Juliet. Beaucoup plus que toi ou moi ne l'avions prévu.

165

Debout devant elle, Simon déboutonnait sa chemise avec nonchalance, sans cesser de lui parler d'un ton apaisant :

— Note bien que nous n'avons pas disposé de beaucoup de temps pour apprendre à nous connaître. Même s'il ne s'agit que d'un arrangement temporaire, il n'y a rien d'étonnant à ce que nous ressentions un certain trouble... pour ne pas dire appréhension.

Touchée par son attitude compréhensive, la jeune femme écoutait en silence, sans perdre un seul de ses gestes. Elle retint son souffle lorsqu'il retira son tee-shirt et le lança en boule en direction de sa valise. Sa poitrine était large, virile, couverte d'une fine toison bouclée. Nu jusqu'à la taille, Simon se pencha vers elle sans même l'effleurer, une question informulée au fond de son regard noir. Juliet attendit, le cœur battant. A sa grande surprise, il se contenta de lui caresser doucement les cheveux. Puis il se retira dans la salle de bains.

Une fois seule, Juliet demeura immobile, les yeux rivés sur les bulles légères dans son verre qui montaient à vive allure avant d'éclater à la surface. Simon avait délibérément mis fin à leurs étreintes, l'autre soir, dans la maison de la plage. Pour la première fois, un homme avait pris conscience de ce qui se passait en elle. Mieux même, il en avait tenu compte, alors que ses précédents partenaires ne s'étaient pas posé tant de questions. Qu'une femme soit consentante leur suffisait amplement...

D'eux-mêmes, les yeux de la jeune femme se portèrent sur le lit. Au fond, elle savait pertinemment ce que Simon attendait d'elle : que, cette nuit, elle se donne à lui de tout son être, entièrement et avec passion. Mais comment pourrait-elle accomplir ce soir ce qu'elle n'avait jamais réussi à vivre avec aucun homme ? Quant à feindre... à quoi bon ? Simon ne serait pas dupe.

Juliet exhala un long soupir. Ne venait-elle pas de mettre le doigt sur l'origine même de son angoisse ? Cette nuit de noces qui s'annonçait n'était ni plus ni moins qu'une épreuve. Un test auquel elle était certaine d'échouer...

Les jambes flageolantes, la jeune femme se leva pour s'asseoir sur le bord du matelas. Elle prit une profonde inspiration dans le vain espoir de chasser la tension qui comprimait sa gorge. Peut-être aurait-elle dû parler à Simon ? Lui dire que... Mais lui dire quoi, au juste ? Qu'elle aimait faire l'amour même si elle ne parvenait pas à se laisser aller tout à fait ? Qu'il ne devait pas trop attendre d'elle ?

D'un geste machinal, Juliet suivit du bout des doigts le motif compliqué du couvre-lit de dentelle. N'accordait-elle pas trop d'importance à des détails finalement secondaires ? Son seul but était de concevoir un enfant, après tout, et le reste lui était indifférent. Du moins... Juliet se leva d'un mouvement brusque et traversa la pièce pour aller ouvrir sa valise. Pourquoi nier l'indéniable ? Même s'il n'avait été question, au début, que d'un strict échange de services, ils n'en étaient plus là aujourd'hui. Simon occupait désormais une place bien à lui dans sa vie et dans ses pensées. Ainsi, ce qu'elle avait voulu éviter à tout prix avait eu lieu, malgré tout...

Juliet venait juste de repérer sa chemise de nuit en batiste au milieu d'une pile de sweat-shirts, lorsque Simon sortit de la salle de bains. Elle nota avec un certain soulagement qu'il était décemment vêtu d'un peignoir en velours éponge d'un bleu profond. D'agréables effluves de savon et de lotion après-rasage parvinrent à ses narines. Mais lorsqu'il se rapprocha, elle identifia avec plaisir cette odeur bien particulière, citronnée et troublante, qui n'appartenait qu'à lui.

— Je suis désolé d'avoir été si long! Mais j'ai un peu paressé sous la douche.

— Cela... cela ne m'a pas gênée, balbutia Juliet en se tournant vers sa valise.

— A ton tour, Juliet.

— Mon tour... dans la salle de bains?

Désemparée, elle se tenait devant lui, sa trousse de toilette coincée sous le bras. Par un louable effort sur lui-même, Simon réussit à dominer son impatience.

— Vois-tu une autre destination possible? s'enquit-il avec un sourire désabusé. Je t'attends.

— Entendu. Je... je me dépêche.

Longtemps après qu'elle se fut retirée, Simon continuait à scruter la porte close en secouant la tête.

— Incroyable, marmonna-t-il.

Plus aucun doute n'était permis. Pour une raison qu'il ne parvenait à déterminer, Juliet Cavanaugh était terrorisée. *Juliet Cavanaugh? Tu veux rire! C'est à présent de Juliet Talcott qu'il s'agit...* Simon jura à voix haute. Dans quelle aventure lourde de conséquences s'était-il lancé sans réfléchir?

168

Les mains enfoncées dans les poches de son peignoir, il déambula de long en large dans la chambre, en proie à un doute croissant. Car était-elle *réellement* Juliet Talcott, en définitive? Ce nom sur un papier avait une réalité strictement administrative et pourtant, elle allait devoir le porter pendant six mois. Face à cette confusion d'identité, comment s'étonner du trouble de la jeune femme?

Peut-être était-ce pour cette raison qu'elle avait été si différente, l'autre soir, dans sa maison. Plus abandonnée, plus confiante... Des visions très précises s'imposèrent à l'esprit de Simon. Le riche éclat de ses cheveux illuminés par les feux du couchant, le grain de sa peau blanche, veloutée. Une bouffée de désir monta en lui comme la sève. Méthodiquement, il éteignit une à une toutes les lumières, ne laissant allumée qu'une minuscule lampe près du chevet. Puis il s'assit près de la cheminée pour attendre.

Seigneur, qu'elle était lente...

8.

Un rectangle de lumière se découpa dans la
chambre obscurcie lorsque la porte de la salle de
bains s'ouvrit enfin. Simon se pencha en avant,
retenant son souffle. D'une démarche hésitante,
Juliet pénétra dans la pièce, ses cheveux défaits
tombant en cascade sur ses épaules, les plis de sa
longue chemise de nuit flottant autour de ses pieds
nus.

Comme dans un rêve, elle s'immobilisa, les yeux
rivés sur Simon qui avançait à sa rencontre.

— Tu es belle, Juliet.

Sa voix avait résonné comme une caresse. La
jeune femme détourna les yeux lorsque sa main
glissa sous sa chevelure, se refermant possessive-
ment sur sa nuque.

— Je suis désolée pour ma chemise de nuit,
murmura-t-elle. Elle est un peu trop banale pour
une occasion pareille. Mais je n'ai pas pensé à...

Il la maintint à bout de bras, une expression
étonnée sur ses traits.

171

— Je ne vois vraiment pas ce que tu lui reproches! Mais puisqu'elle te déplaît, je connais un
remède à la fois simple et radical.

D'un mouvement leste, il prit à deux mains
l'ourlet du fin vêtement et le fit passer par-dessus sa
tête.

— Simon!

— Tu es plus adorable à présent que dans la
chemise de nuit la plus sophistiquée du monde! lui
assura-t-il en lui effleurant la joue. S'il existait un
concours des plus belles tenues de nuit de noces, tu
serais désignée à l'unanimité comme la mieux habillée.

L'ébauche d'un sourire tremblant joua sur les
lèvres de la jeune femme.

— Je me sens très nue...

— Tu n'es pas partie en courant, en tout cas.

— J'avoue ne pas y avoir songé, avoua-t-elle,
plus sereine.

Les yeux de Simon pétillèrent de malice.

— Parfait! Je crois que nous sommes sur la
bonne voie.

Il la souleva dans ses bras pour la porter jusqu'au
lit.

— C'est déjà la deuxième fois, observa-t-elle
d'un ton espiègle. Je vais finir par m'y habituer, je
te préviens!

— Pas si vite, ma chère! Nous sommes au
vingtième siècle, ne l'oublie pas. La prochaine fois,
nous inverserons les rôles!

Sans quitter des yeux son visage souriant, Simon
la déposa avec délicatesse sur le drap blanc.

— Je sais, c'est le mauvais côté, tu dors toujours à droite, déclara-t-il. Mais pour cette fois, j'accepte de te céder la moitié de ma moitié. Tu veux bien ?

Comme elle acquiesçait en silence, Simon se redressa pour dénouer la ceinture de son peignoir et le laissa glisser à terre. Sans perdre un seul de ses mouvements, Juliet se mordit la lèvre. Dans le halo diffus que projetait la minuscule lampe de chevet, sa silhouette musclée et nerveuse se détacha comme une statue sur l'ombre alentour. Un spectacle à la fois magnifique et… troublant. La jeune femme détourna les yeux.

— Tu ne veux pas éteindre ? proposa-t-elle d'une toute petite voix.

Décontenancé, Simon se laissa choir sur le bord du matelas, cherchant à déchiffrer le message au fond de ses prunelles. Juliet était écarlate. Oh non, pour rien au monde, il ne voulait manquer le jeu mouvant d'expressions que l'amour inscrirait sur ce visage mobile, d'une infinie délicatesse…

Il s'allongea doucement près d'elle, sa hanche pressée contre les courbes de son corps.

— Je ne veux pas être privé de lumière, Juliet. Car je te désire tout entière, avec tous mes sens ; pas seulement par le toucher, l'odorat, mais aussi par la vue. Tu es si incroyablement belle….

Sans cesser de parler, Simon s'était penché très bas sur ses lèvres. Du bout de la langue, il les explora lentement, patiemment, jusqu'à ce que, tout naturellement, sa bouche alanguie se fonde avec la sienne.

Comme elle n'offrait aucune résistance, Simon

s'enhardit et ses mains esquissèrent d'aventureux parcours. Il s'émerveillait de ces voluptueuses découvertes, de l'enivrante douceur de sa peau. Ses caresses se firent pressantes, puis impérieuses tandis que le désir grondait en lui, précipitant ses gestes. Avec exaltation, il nota que le souffle de la jeune femme s'accélérait, devenait saccadé. Et soudain la passion l'emporta, oblitérant tout le reste. Ivre de possession, il s'arqua au-dessus d'elle...

Que se passait-il? Brutalement ramené au présent, Simon ouvrit les yeux. Juliet reposait, livide, les deux poings serrés de chaque côté de sa tête.

— Juliet...

Lentement, elle souleva les paupières et dans les profondeurs de jade de son regard, il lut la vérité. Elle tremblait de peur! Ce qu'il avait pris pour des manifestations de son plaisir n'avait été rien d'autre qu'une réaction d'angoisse..

— Parle-moi, Juliet! Qu'as-tu?

La jeune femme se détourna, scrutant aveuglément le rectangle obscur de la fenêtre.

— Je ne sais pas comment te le dire... Tu attends trop de moi. Je... je ne pourrai jamais être à la hauteur.

— Regarde-moi.

Juliet obéit à contrecœur. Elle semblait si fragile, si vulnérable, ses prunelles soudain immenses dans son visage pâli et effrayé.

— Est-ce la première fois, pour toi, Juliet ?

— Non.

Simon plissa le front, cherchant à comprendre.

— Qu'y a-t-il alors? Que crois-tu donc que j'attende de toi?

A la torture, la jeune femme se raidit. Mais elle ne pouvait se réfugier dans le silence. Plus maintenant. Juliet devait s'efforcer de lui expliquer ces sensations intimes, imprécises, qu'elle n'avait jamais cherché à traduire en mots auparavant.

— C'est que... lorsque tu... je veux dire, nous atteignons un certain stade... Je ne... enfin, ce n'est plus pareil. Non pas que je me sente mal ou que je refuse, mais je n'éprouve plus... ce que je ressentais avant.

— En bref, il arrive un moment où je déclenche chez toi un sentiment d'anxiété et non plus de plaisir.

Juliet leva vers lui un regard reconnaissant. Il avait trouvé les mots justes. Malgré la peine infinie qu'elle avait eue à s'exprimer, il comprenait tout de même — à sa façon.

— Mais je ne veux pas que tu t'arrêtes pour autant, précisa-t-elle, très vite. Il ne faut seulement pas... m'attendre.

— En fait, tu n'avais pas du tout l'intention de m'en parler. Tu allais me laisser continuer comme...

— Mais je *tiens* à ce que tu poursuives ! l'interrompit-elle aussitôt, ennuyée qu'il ait mal saisi la nature de son problème.

Tendrement, Simon releva une mèche tombée sur son front.

— Oh, Juliet... Pourquoi toujours cette volonté d'affronter les choses toute seule, sans aide ? Tu es tellement résolue à te suffire à toi-même que tu n'imagines même pas ce que cela peut représenter pour deux êtres de... Quoi qu'il en soit, fais-moi confiance, je t'en prie. Juste pour cette fois, pour cette nuit, accepte de te laisser aller.

— J'essaierai, balbutia-t-elle, indécise. Mais je ne suis pas très compétente et...

— Par pitié, Juliet! explosa-t-il en se dressant sur son séant. Il ne s'agit pas d'une *compétition*, justement! Nous voici dans un domaine où ton éternel souci d'efficacité et de contrôle ne s'applique pas. Il n'y a ni recettes, ni techniques, ni principes, tu m'entends?

Il avait parlé avec une telle fougue qu'elle se recroquevilla.

— Es-tu fâché, Simon?

— Non, pas fâché... Je cherche simplement un moyen de te convaincre. Simplement, tu ne donnes pas toute la mesure de la passion qui existe en toi. Et j'estime qu'il est temps que ta véritable nature s'épanouisse enfin.

— Je ferai de mon mieux, c'est promis, Simon.

Avec une bonne volonté manifeste, Juliet noua les bras autour de son cou et chercha à l'attirer à elle. Mais Simon résista.

— Pas comme cela, Juliet...

Il lui prit la main, et déplia un à un ses doigts crispés. Puis avec une grande douceur, il caressa sa paume. D'abord perplexe, Juliet se détendit progressivement. Et soudain, ce fut là. La sensation déclenchée se propageait en elle comme une onde. Jamais, elle n'avait éprouvé un aussi total bien-être!

— Mmm... C'est agréable, soupira-t-elle.

La jeune femme ne chercha même pas à dissimuler la surprise qui transparaissait dans sa voix. Qu'avait-elle encore à lui cacher, désormais ?

— Très bien, Juliet. A toi, maintenant.

Contrairement à ce qu'elle avait redouté, ce jeu n'avait rien de difficile ! En confiance, elle posa la main de Simon au creux de son estomac et s'appliqua à reproduire ses gestes, s'étonnant de l'émotion très physique que ce massage pourtant si banal éveillait au tréfonds d'elle-même. La jeune femme fut presque déçue lorsque Simon lui retira sa main, reprenant l'initiative.

Cette fois, il employa toute sa science pour éliminer peu à peu les tensions. Et bientôt, elle s'abandonna, entièrement. Juliet s'offrait à présent avec une sensualité si brûlante qu'il dut lutter pour brider son propre désir. Car pour partager vraiment, il fallait d'abord qu'elle donne à son tour.

Lorsque Simon s'allongea sur le dos, la jeune femme se souleva d'elle-même sur un coude. Du bout de l'index, elle traça la ligne de sa mâchoire ; puis, animée par une hâte fébrile, Juliet appliqua ses deux mains sur son torse avant de descendre vers sa taille. Le frémissement que produisit en lui sa caresse se répercuta en elle sous la forme d'un long frisson.

— Touche-moi aussi, Simon, implora-t-elle en attirant sa main sur sa poitrine. Oh oui... oui, comme cela.

La jeune femme tressaillit de plaisir, lorsqu'il la couvrit de baisers légers, une jambe passée autour de ses hanches. Assoiffée de lui, Juliet ondula, implorante.

— A quoi penses-tu, Juliet? s'enquit-il d'une voix rauque.

Tout d'abord, elle ne répondit pas, troublée jusqu'au vertige par la pression de ses mains sur ses hanches.

— Je ne pense pas! Oh, Simon, je veux plus, plus...

Ses doigts se mouvaient à présent en haut de ses cuisses. Elle s'arqua, éperdue avant de lui rendre ses caresses.

— Simon!

Le cri lui avait échappé sans même qu'elle s'en rende compte. Imminente, irrépressible, la spirale explosive montait en elle, effaçait la réalité extérieure, le lit, la chambre. En proie à une passion dont l'intensité dépassait tout ce qu'elle avait imaginé, Juliet enfonça ses ongles dans ses épaules.

— Ne t'arrête pas, ne t'arrête pas, je t'en supplie, murmura-t-elle, éperdue.

— Mon Dieu, non, Juliet, je te veux.

Simon trouva sa bouche tandis qu'elle l'attirait à lui, implorante. D'un mouvement impérieux, il la fit sienne et leurs cris jaillirent ensemble, comme un mutuel écho.

Bien après, Juliet retomba sur l'oreiller, encore tremblante, à la fois comblée, abasourdie et rêveuse. La tête de Simon reposait sur sa poitrine et elle entendit son souffle s'apaiser peu à peu. Lorsqu'elle ouvrit les yeux, il la regardait, les paupières alourdies, un demi-sourire errant sur ses lèvres.

— C'était bien, murmura-t-elle.

Il scruta son visage, savourant le calme qui s'était installé en eux et autour d'eux.

— Tu as eu confiance, Juliet. Tu as accepté d'être toi-même, au lieu de te fermer.

— Mais j'ai l'impression que ce n'était pas vraiment un acte de volonté de ma part! A ton contact, je... je ne sais pas comment le dire.

Simon lui caressa tendrement les cheveux, sachant qu'elle ne trouverait pas les mots pour exprimer l'indicible. Mais il savait aussi que leur étreinte avait laissé en eux une marque indélébile. Lorsqu'un homme et une femme partageaient une expérience comme celle qu'ils venaient de vivre, ni l'un ni l'autre ne serait plus comme avant...

Avec une tendresse mêlée de gratitude, il se pencha pour embrasser ses seins. De son corps tiède et alangui montait son parfum fleuri, entêtant qui galvanisait ses sens.

— Est-ce que je peux rester blottie contre toi, Simon? demanda-t-elle d'une voix ensommeillée.

— Mmm... Du mauvais côté du lit?

L'éclat mélodieux de son rire réjouit Simon.

— Sommes-nous à gauche? Je ne m'en étais même pas rendu compte!

Elle ferma les yeux, se nichant encore plus étroitement contre lui.

— Ce soir, je pourrais même dormir avec la tête au pied du lit, marmonna-t-elle avant de sombrer dans un profond sommeil.

Lorsque Simon s'éveilla, Juliet n'avait pas bougé de l'asile de ses bras. Son souffle était léger, paisible et les rayons de soleil qui jouaient dans l'or sombre de sa chevelure demeuraient impuissants à la tirer de ses songes. Comme son visage paraissait innocent dans l'abandon du sommeil! Elle s'était donnée, réellement donnée à lui, songea-t-il avec une émotion où se mêlait une sensation de triomphe. Il avait exigé sa confiance, et la jeune femme s'en était remise à lui sans réserve. Au souvenir de leur ardeur de la veille, son corps frémit et il se pencha pour effleurer ses lèvres.

Encore à demi assoupie, Juliet gémit, langoureuse et tout de suite offerte. Et elle ne sut jamais si oui ou non, elle réémergea alors à la conscience! Plus tard, blottie contre lui, elle ne se souvint que de l'embrasement aveugle d'une immense passion...

Lorsqu'elle ouvrit enfin les yeux, Simon lui sourit.

— Sais-tu qu'il est presque midi? Allez, debout, paresseuse!

— Mmm... Faut-il vraiment se lever? Avons-nous un rendez-vous urgent?

Il rit doucement.

— Est-ce bien la même personne qui se demandait comment nous allions nous occuper toute une semaine?

Mutine, Juliet risposta :

— N'a-t-on pas le droit de changer d'avis? Je ne me doutais pas encore des possibilités qui s'offraient à moi...

Emu, Simon glissa les doigts dans le fin rideau de sa chevelure.

— Il y en a d'autres, pourtant, même si elles ne sont pas tout à fait aussi intenses. Manger, par exemple. Ou nous promener au bord de l'océan.

— A la rigueur, admit-elle… Si nous nous recouchons très vite, après.

Sur un grand éclat de rire, Simon la poussa sans ménagement hors du lit.

— Tu n'as jamais été une adepte des demimesures, n'est-ce pas Juliet ?

— Aïe !

Avec un haussement d'épaules indigné, la jeune femme se dirigea vers la salle de bains. Lorsqu'elle ressortit, Simon avait commandé un « brunch » substantiel qui leur ferait office de petit déjeuner comme de repas de midi.

L'après-midi, ils flânèrent dans les rues de Carmel, dénichant des galeries d'art au détour des ruelles, s'amusant à reconnaître des artistes célèbres cachés derrière leurs lunettes de soleil. Simon entraîna la jeune femme dans un magasin de jouets, où ils redisposèrent toute une vitrine de soldats de bois sous l'œil amusé du vendeur.

Le soir, pour dîner au restaurant, Juliet eut l'occasion de revêtir sa robe bleu nuit dont le haut élégamment drapé dégageait ses épaules. La jupe en mousseline évasée tombait en corolle autour de ses jambes parfaites. Une tenue qui lui valut les compliments enthousiastes de Simon, même s'il lui assura tout de suite après, qu'avec des yeux comme les siens, elle serait encore belle vêtue d'un sac de jute ! Bras dessus, bras dessous, ils quittèrent l'hôtel et se rendirent à pied dans un des innombrables restaurants de la région. Tout, ce soir-là, fut parfait. Le menu, le décor chaleureux et raffiné, le pianiste qui semblait ne chanter que pour eux ses immortelles chansons d'amour…

Lorsque Simon la prit dans ses bras sur la piste de danse et enfouit son visage dans ses cheveux, Juliet se demanda si elle connaîtrait jamais de nouveau une sensation de plénitude aussi intense. Tout était parfait, tout était à sa place... La musique cessa, mais ils demeurèrent immobiles, frappés par un charme qui semblait devoir durer toujours. Quand elle leva les yeux pour rencontrer ceux de Simon, elle y entrevit brièvement le reflet exact de ses propres sentiments. Quelque chose avait changé entre eux. Mais elle baissa aussitôt les paupières, se refusant à analyser la nature exacte de cette transformation...

Presque tous les jours, ils se levaient bien après midi, ivres d'amour et de volupté. Et puis, il y eut une nuit où ils veillèrent jusqu'à l'aube. Cédant à une impulsion, ils décidèrent d'aller guetter les baleines que l'on apercevait parfois de la côte de Big Sur, migrant vers le sud. Un projet des plus irréalistes puisqu'ils savaient tous deux que la saison n'était pas assez avancée! Mais qu'importe? Soudain tout paraissait possible...

Quittant l'hôtel en voiture, ils empruntèrent la route côtière en direction du sud. Comme chaque matin, l'épaisse brume automnale était couchée comme un linceul sur un paysage fantomatique. Lorsque le soleil triompha enfin du brouillard vers dix heures, Juliet eut l'impression d'émerger d'une caverne humide et de respirer enfin l'air libre du dehors. Aussitôt, Simon se gara sur le bas-côté et ils grimpèrent sur un tertre herbeux. De là, ils dominaient l'océan, une longue étendue de sable gris où les vagues s'effondraient en longs rouleaux rageurs. Loin au-dessus d'eux, les cris rauques des oiseaux se mêlaient au sifflement du vent et au rugissement de la mer. Comme San Francisco paraissait loin ! Et plus loin encore, le quotidien, les réalités de leurs quotidiens respectifs...

Simon prit la main de Juliet, la guidant vers un large rocher plat. Amusé, il la vit dégrafer son anorak pour s'allonger à plat ventre sur la pierre gorgée de soleil. A l'abri du vent, l'air était d'une douceur lénifiante et il finit par suivre son exemple. Une lueur espiègle au fond de ses yeux verts, Juliet se dressa sur un coude et déposa un baiser sur le bout de son nez ; puis, s'enhardissant, elle effleura ses lèvres, couvrit son visage d'une pluie de baisers mutins. Et soudain, leurs bouches s'unirent l'une à l'autre. Avec nonchalance, Simon la renversa sur le dos tandis que ses mains s'aventuraient sous sa chemise.

— Mmm, soupira-t-elle, surprise. Oh, Simon, retournons vite à l'hôtel !

— Et pourquoi donc ?

Sans attendre sa réponse, il l'embrassa avec une ardeur renouvelée. Juliet se serra un peu plus étroitement contre lui.

— Oh, s'il te plaît. J'ai envie de... Hé !

Elle frissonna de plaisir comme il soufflait doucement dans son oreille, éveillant des sensations vertigineuses et inconnues.

— Et en quoi cela nous empêche-t-il de demeurer ici ?

— Ici ? Au beau milieu de ce rocher ? Nous ne pouvons pas, voyons ! Si quelqu'un...

— Qui ? Nous sommes seuls avec les mouettes.

— Mais, Simon...

Elle ne parvint même pas à exprimer sa protestation jusqu'au bout. Déjà ses doigts la plongeaient dans un abîme de passion, effaçant ses dernières craintes. Dominant un instant le grondement du ressac, Juliet entendit le cri des otaries. Il y eut la caresse du vent sur sa peau nue et la chaleur du soleil s'intensifia jusqu'à devenir brûlure...

Bien plus tard, ils redescendirent vers la voiture, étroitement enlacés, ivres de grand air et consolés de l'absence de baleines ! Le dernier jour, ils retournèrent se coucher après le petit déjeuner. Ce ne fut qu'à midi, en séchant le dos de Juliet après un long bain pris ensemble, que Simon estima le moment venu d'aborder un point critique : leur avenir immédiat.

— Dis-moi... As-tu songé que nous allions avoir un problème d'appartement ? Celui que j'ai en ville n'est qu'un pied-à-terre, il est trop exigu pour que nous puissions y vivre à deux. Et la maison de la plage est un peu loin pour faire l'aller et retour tous les jours. Peut-être que chez toi...

Juliet se raidit, résistant à la tentation de se boucher les oreilles, telle une enfant qui refuse d'entendre. Prenant la serviette des mains de Simon, elle s'en enveloppa comme pour se protéger.

— Une seconde, Simon. Que signifie exactement ce « vivre à deux » ?

— Le terme me paraît limpide. A deux... toi et moi.

Le visage détourné, elle riposta d'un ton sec :

— En ce qui me concerne, la solution est claire : toi et moi allons vivre là où nous avons toujours vécu. Chacun chez soi.

Interloqué, Simon assista au changement qui s'opérait en elle. En l'espace de quelques secondes, sa Juliet, tendre et rieuse, avait disparu. A sa place resurgissait Miss Cavanaugh, l'avocate. Efficace. Pas froide à proprement parler, mais infiniment distante...

— Les gens mariés habitent généralement ensemble, Juliet.

D'un mouvement brusque, elle serra ses cheveux en chignon avant de se pencher sur sa valise.

— Nous ne sommes pas mariés, Simon. Nous avons conclu un pacte.

Le visage de Simon se durcit.

— Un pacte, certes. Au terme duquel tu es tout de même supposée avoir un enfant, ce n'est pas à moi de te le rappeler. Il nous faudra rester en contact.

Son ton était neutre, dépourvu du moindre sarcasme. Juliet réfléchit fébrilement. Vivre ensemble... Jamais elle n'avait envisagé cette éventualité. Comment mêler Simon à ses activités de tous les jours, à son travail au cabinet ? Non, c'était impensable.

— Mon appartement n'est pas assez grand pour deux, Simon. Et la maison de la plage est trop loin.

— Alors quelle est ta solution ?

— Nous allons nous revoir. Passer quelques nuits ensemble à certains moments...

— Certains moments ? C'est donc ainsi que tu

vois les choses... Des rencontres planifiées avec soin.

Il scruta son visage avec insistance en secouant lentement la tête.

— Quelque chose ne va pas, Simon?

Il soupira.

— Tout va bien, rassure-toi. Toi et moi avons simplement une vision différente de ce que nos rapports doivent ou pourraient être... Mais peu importe. Je vais descendre régler la note pendant que tu finis de t'habiller.

— Attends, Simon! N'allons-nous pas partager?

Pendant toute la durée de leur séjour, Juliet n'avait pas songé un instant à l'aspect pécuniaire. Spontanément, elle avait accepté qu'il paie leurs additions et tout s'était passé de façon très naturelle. Mais aujourd'hui, c'était différent. Ils n'étaient plus, soudain, que les parties d'un contrat; deux étrangers que le hasard avait réunis pour six mois...

Simon demeura longtemps silencieux à la regarder. Comment cette tension pénible avait-elle pu naître si vite, au premier contact avec la réalité?

— Non, Juliet, il n'y a rien à partager, répondit-il d'une voix distante.

Il ferma la porte d'un geste sans appel, laissant Juliet aux prises avec une profonde sensation de solitude... Pendant le trajet du retour, ils n'échangèrent que quelques paroles anodines. Et lorsqu'il fit halte devant chez elle, Simon ne fut pas autrement surpris quand elle déclina son offre de monter sa valise. Au moment de descendre de voiture, la jeune femme se tourna vers lui et, sans un mot, retira l'alliance qu'elle avait portée pendant son séjour à Carmel.

Simon la glissa dans sa poche sans émettre de commentaires. Il ne voulait pas de cette bague, mais à quoi bon tergiverser?

Sans couper le contact, il attendit que l'appartement de Juliet s'éclaire, deux rectangles lumineux parmi tant d'autres sur une haute façade anonyme. Puis il démarra en trombe en direction de son studio. Découragé comme il l'était, même la perspective de rouler jusqu'à la plage lui paraissait insurmontable...

9.

Trois pièces, vue imprenable... Sous-location, disponible immédiatement. Simon cocha une annonce, prit une gorgée de café et recommença à suivre de la pointe de son stylo les colonnes du quotidien. *Appartement de rêve sur Golden Gate Park.* Le jeune homme considéra d'un œil découragé sa table entièrement recouverte de journaux. S'il réussissait à sélectionner un appartement attirant, Juliet accepterait-elle de « cohabiter » pendant six mois? Lugubre, il reprit sa lecture. Au fond de lui-même, il savait que rien n'était moins sûr...

Quoi qu'il en soit, une chose était certaine: il était hors de question de maintenir le statu quo! Pour une raison ou pour une autre, il y avait entre son emploi du temps et celui de Juliet une incompatibilité totale. En conséquence, ils se heurtaient à des problèmes insolubles chaque fois qu'ils essayaient de se voir. Simon l'accusait de chercher à l'éviter, et Juliet soutenait le contraire, lui adressant des reproches similaires à son tour! C'était tout simplement intenable.

Bien décidé à sortir de ce cercle vicieux, Simon entreprit de relever les coordonnées d'un certain nombre d'agences. C'était samedi et il devait retrouver la jeune femme chez elle à une heure. Peut-être pouvait-il fixer d'ores et déjà quelques rendez-vous? Il parviendrait bien à la convaincre de venir visiter quelques appartements avec lui. Et si elle refusait… si elle refusait, eh bien, tant pis. Il aurait au moins essayé!

Ce fut à peine s'il réagit quand la porte donnant sur la plage s'ouvrit. En habitué de la maison, Philip fit irruption dans la pièce sans frapper. Il considéra d'un œil perplexe les journaux étalés sur la table.

— As-tu l'intention de te reconvertir dans l'immobilier, Simon?

— Ne dis donc pas de sottises! Sers-toi plutôt un café et assieds-toi, grommela ce dernier sans cesser d'écrire.

Philip jeta sa veste sur une chaise et prit une tasse dans le buffet. Il avait rarement vu son ami d'humeur aussi exécrable! Décidément, le mariage ne lui réussissait guère…

— Alors, que cherches-tu dans les petites annonces, cette fois-ci? ironisa-t-il en s'attablant en face de son ami.

Simon se décida enfin à relever la tête.

— J'ai l'intention de persuader Juliet de prendre un appartement avec moi, expliqua-t-il. La situation est intenable: je la vois encore moins souvent que lorsque nous n'étions pas encore mariés!

— Du point de vue légal, il serait en effet plus indiqué que vous viviez ensemble. Mais je croyais que Juliet ne voulait pas en entendre parler ?

D'un mouvement sec, Simon reposa son crayon sur la table.

— C'était le cas, oui. Mais il faudra qu'elle se fasse une raison. C'est elle qui désire avoir un enfant, après tout. Une grossesse n'arrive pas par miracle.

Philip lui jeta un regard pénétrant.

— Je suppose que cet argument-là n'est ni plus ni moins qu'un prétexte pour essayer de la faire changer d'avis ?

— Tu as une meilleure idée, peut-être ?

— Mmm… je vais t'étonner, mon vieux, mais je crois que j'en ai une excellente à te proposer, justement !

Le visage du jeune homme s'éclaira. D'un geste, il encouragea son ami à parler.

— Que dirais-tu d'acheter une maison, mon cher ?

— Très drôle ! s'exclama Simon.

Philip était son meilleur ami et il le resterait sans doute toujours. Mais, Dieu, qu'il pouvait être irritant, parfois !

— Hé ! Attends donc la fin de mes explications avant de t'énerver. Un de mes clients se trouve contraint de céder au plus vite une demeure victorienne dans le quartier de Pacific Heights. Il l'avait achetée pour la rénover et la revendre ; un investissement intéressant, à l'en croire. Mais il a fait des spéculations hasardeuses et il lui faut dégager des liquidités de toute urgence.

— Triste histoire ! Et en quoi les ennuis financiers de ton client résolvent-ils mon problème ?

— Simon ! Tu ne comprends donc vraiment rien, ce matin ! Je te conseille un bon placement !

— Je suis désolé, mais je ne vois toujours pas le rapport.

— Si Juliet refuse de vivre avec toi par principe, rien ne l'empêche, en revanche, de s'associer avec toi dans un but purement pratique, autrement dit, pour gagner de l'argent ! Quant à toi, cela te permet de faire d'une pierre deux coups. Il suffirait que vous vous installiez quelques mois dans cette maison, que vous la fassiez peindre et tapisser et le tour sera joué. Non seulement ton but sera atteint, mais en plus vous en retirerez une somme coquette que vous pourriez placer sur un compte spécial à l'intention du bébé. Que veux-tu qu'elle trouve à redire à un projet pareil ?

Un large sourire détendit les traits de Simon. D'un geste triomphant, il jeta à la corbeille les quelques coordonnées d'appartements à louer qu'il avait relevées.

— Mon vieux Phil, tu es un génie ! Quelque chose me dit qu'elle risque d'accepter... Quand pourrons-nous emménager ?

— Dès que vous aurez signé le compromis de vente, ce qui peut être conclu sur l'heure. Tiens, j'ai les clés si tu veux aller la visiter cet après-midi. En tout cas, si elle t'intéresse, décide-toi vite, car mon client a déjà pris contact avec un agent immobilier.

— Ne t'inquiète pas pour cela, je suis très pressé

moi aussi ! Dis-moi, pourquoi ne viendrais-tu pas avec nous ? Je suis sûr que tu réussirais à convaincre Juliet !

— Je suis désolé, Simon, mais je ne serai pas libre. Eileen passe à la maison pour voir les enfants.

Le visage de Philip se ferma. Il en allait toujours ainsi quand il était question d'Eileen, songea Simon, mal à l'aise. Une fois de plus, il se mordit les doigts d'avoir prononcé certains jugements sans appel après que la jeune femme était partie du jour au lendemain, le laissant seul avec deux enfants en bas âge...

— Est-ce qu'elle va mieux ? s'enquit-il prudemment.

— Il semble que oui. Eileen prétend n'avoir pas bu depuis plusieurs semaines. Et elle a trouvé un nouvel emploi.

— Comme serveuse ?

Phil hocha la tête.

— Je crois qu'elle veut reprendre Michael et Timmy, annonça-t-il d'une voix égale.

Il se leva d'un mouvement brusque et remit sa veste. Simon l'observait avec inquiétude, envahi par une compassion qu'il se garda bien d'exprimer. Tant que Philip continuerait à laisser les choses en suspens, la menace de perdre ses enfants pèserait sur lui. Mais il semblait décidé une fois pour toutes à ne pas demander le divorce. La situation paraissait donc sans issue. D'autant plus qu'on ne savait jamais ce qu'une femme comme Eileen pouvait inventer pour parvenir à son but...

— Crois-tu qu'elle ait fait appel à un avocat, Philip ?

— Je n'en ai pas la moindre idée.

— Enfin... Vu les conditions, même si votre affaire devait passer en justice, aucun juge ne...

Philip l'interrompit d'un ton sec.

— Lorsqu'on touche au rapport prétendument sacré qui unit la mère et l'enfant, on ne peut jamais être sûr de rien, Simon. Tu m'entends? *D'absolument rien du tout...*

Les épaules légèrement voûtées, il sortit, refermant doucement la porte derrière lui.

Lorsque Simon arriva chez Juliet un peu avant l'heure prévue, la jeune femme était fin prête. Comme il marquait en riant son étonnement, elle se garda bien de lui préciser qu'elle le guettait à sa fenêtre depuis midi! Pire même, Juliet avait annulé une réunion avec Linda pour avoir un après-midi entier à lui consacrer... Mais Simon lui manquait tant! Et ils avaient chaque fois toutes les peines du monde à se ménager des plages de liberté pour leurs rencontres.

— Enfile vite une veste, Juliet! Nous ressortons tout de suite. J'ai quelque chose à te montrer.

Il avait glissé les mains autour de sa taille et elle ploya contre lui, la nuque renversée, une indiscutable lueur d'invite dans la profondeur voilée de ses yeux verts. Auraient-ils d'abord le temps de...? *Non! Priorité aux intérêts à long terme, Simon!* Résistant à la tentation, il lui effleura la joue.

— Il faut que nous la voyions à la lumière du jour, tu sais...

Paupières mi-closes, Juliet se pressa contre lui, sensuelle, irrésistible.

— Au diable, la lumière du jour, protesta-t-elle. Et qu'avons-nous à voir de si urgent, au juste ?

— Eh bien... Il s'agit d'un... d'un investissement, trancha-t-il, conscient qu'il lui fallait procéder avec une extrême prudence. Phil m'a appris ce matin qu'une occasion unique se présentait, une affaire à saisir au plus vite. J'ai pensé que cela t'intéresserait, aussi.

Déçue, Juliet s'écarta de lui.

— Mais quel genre de placement, Simon ?

Il soupira. Impossible d'échapper à des explications plus précises...

— Dans la pierre... une demeure de style victorien.

— Une maison ? Tu veux acheter une maison avec moi ?

— Simplement dans le but de la rénover et de la revendre dans quelques mois, la rassura-t-il en hâte.

Avant qu'elle puisse protester, il lui prit le bras et l'entraîna vers la porte.

— De toute façon, une visite ne nous engagera à rien. Viens... nous en parlerons plus en détail pendant le trajet.

Irritée, Juliet le suivit à contrecœur. Elle avait passé la matinée entière à rêver de cet après-midi qu'ils allaient enfin pouvoir passer ensemble. Fallait-il vraiment gâcher leur temps précieux en prospections immobilières ?

— Franchement, Simon, tout ceci n'a aucun sens. Même si elle est vendue à un prix défiant toute concurrence, une maison victorienne coûte toujours une fortune. Où trouverais-je l'argent nécessaire ? D'autre part, nous n'avons même pas le temps de nous rencontrer. Quand voudrais-tu t'occuper de la remettre en état ? Pendant les heures de loisir dont nous ne disposons pas ?

Sans se laisser démonter, Simon gardait les yeux rivés sur la route. Il était plus aisé d'argumenter, à présent qu'ils étaient sagement éloignés l'un de l'autre, avec leurs ceintures de sécurité bouclées. Pour le premier problème qu'elle soulevait, il avait d'ailleurs une solution toute prête.

— Investir à deux n'implique pas obligatoirement que chacun des associés apporte une part égale. Tu consacreras à cet achat la somme dont tu peux disposer, peu importe laquelle. Et une fois que nous aurons revendu, chacun de nous récupérera sa mise. Quant au profit, nous le mettrons de côté pour le bébé. C'est simple, n'est-ce pas ?

Du coin de l'œil, Simon nota avec satisfaction que ses paroles avaient produit leur effet. Il avait choisi la meilleure optique en présentant l'affaire uniquement sous l'aspect d'une opération rentable... Se concentrant de nouveau sur sa conduite, il se lança à allure modérée dans les ruelles étroites qui montaient en pente raide à l'assaut d'une de ces collines qui confèrent à la ville de San Francisco son charme inoubliable.

Juliet, quant à elle, réfléchissait à toute vitesse, l'esprit en effervescence. Accepter la proposition de Simon, c'était s'impliquer un peu plus étroitement encore, c'était un lien de plus qui les unirait. D'un autre côté, il n'y avait rien à redire à cette offre. Au contraire, elle était généreuse, et en cela caractéristique de Simon. Juliet risqua vers lui un regard à la dérobée. Peut-être se sentait-il malgré tout une obligation envers le bébé à naître, même s'il était destiné à ne jamais le voir ? Dans ce cas, ce serait une façon comme une autre pour Simon de s'acquitter de sa dette morale. Il s'estimerait par conséquent dégagé de toute responsabilité lorsque viendrait le moment de la séparation ; ce qui, assurément, ne pourrait que faciliter les choses...

Simon pianota du bout des doigts sur le volant. Pourquoi ne se prononçait-elle pas ? Brûlant d'impatience, il finit par s'enquérir :

— Alors ? Ton verdict, Juliet ?

— J'avoue être un peu prise au dépourvu... Mais si ce projet te tient à cœur...

— C'est le cas ! lui assura-t-il avec fougue. Mais je crois que nous arrivons. Ah voilà ! Le quarante-huit, nous y sommes.

Plus excitée qu'elle ne voulait l'admettre, Juliet se pencha en avant pour mieux voir. C'était une demeure pleine de charme, d'un beau gris ardoise, avec un porche soutenu par des colonnes, une façade de bois travaillée en filigrane, des frises et un fronton élégant. La tourelle élancée qui s'élevait sur un côté la faisait ressembler à une version agrandie de la maison en pain d'épices du conte de *Hans et Gretel*. Un peu décrépie, certes, mais tellement adorable !

— Il faudrait songer à repeindre la façade, observa Simon. Mais voyons l'intérieur avant de nous faire une opinion.

Dès qu'elle eut franchi le seuil, la jeune femme fut définitivement séduite. Filtrée et recomposée par un vitrail, la lumière solaire dessinait sur le parquet du vestibule une mosaïque dansante et colorée. La grisaille des murs et les papiers peints noircis ne parvenaient pas à dissimuler la beauté des boiseries patinées et la grâce des voûtes qui invitaient tout naturellement à passer d'une pièce à une autre. La cuisine se révéla spacieuse et même dotée d'un équipement ménager complet sous un alignement de placards muraux en chêne. Quant aux salles de bains, leur état était tout à fait convenable. De toute évidence, un des précédents propriétaires avait déjà entamé le processus de rénovation.

Simon se surprit à accorder plus d'attention aux expressions de Juliet qu'à l'agencement des lieux. Seule comptait, pour l'instant, l'opinion de la jeune femme. Pour le reste, il s'en accommoderait volontiers! Ravi de ne lire sur ses traits que la marque d'un enthousiasme grandissant, il lui entoura la taille tandis qu'ils gravissaient le dernier escalier, à l'intérieur de la tourelle.

— Alors? s'enquit-il avec une feinte nonchalance.

Elle leva vers lui des yeux étincelants.

— Elle me plaît vraiment beaucoup, Simon. Ce n'est peut-être pas un argument clé pour décider d'un investissement. Mais je suppose que si j'ai eu le coup de foudre, d'autres l'auront après moi! Et toi, qu'en penses-tu?

Sans cesser de scruter son visage, il laissa glisser ses mains sur ses hanches. Comme chaque fois qu'il

198

la touchait désormais, un frisson la parcourut tout entière.

— Si elle te convient, c'est parfait. Je suis pour !

— Ainsi, nous la prenons ? s'écria-t-elle, abasourdie et surexcitée à la fois. Oh ! mon Dieu, Simon, il n'y a vraiment qu'avec toi que j'arrive à commettre des folies pareilles ! Acheter ainsi une maison du jour au lendemain... Et où allons-nous trouver le temps de superviser les travaux ?

— Mmm... il y en a plus que je ne l'avais prévu, en effet. Le plus simple serait peut-être que nous campions sur place pendant un certain temps, suggéra-t-il d'un ton pensif, comme si l'idée lui était venue à l'instant.

— Nous installer ici ? répéta-t-elle, éberluée. Tu veux dire, toi et moi... ensemble ?

— Pourquoi pas ?

Il l'enlaça plus étroitement encore, mais Juliet se dégagea. Dressée devant lui, elle le fixa d'un air suspicieux.

— Une seconde, Simon Talcott ! Je veux la vérité et rien que la vérité. N'est-ce pas là ce que tu avais en tête dès le début ?

Un sourire mystérieux erra un instant sur les lèvres de Simon.

— Disons que j'avais pris cette possibilité en considération, rétorqua-t-il... Acceptes-tu d'y réfléchir, Juliet ?

Lorsqu'il l'attira à lui, Juliet n'opposa aucune résistance. Et elle songea qu'elle ne résisterait vraisemblablement pas non plus à la tentation de partager pendant quelques mois la maison avec lui.

Tout, plutôt que l'horreur des longues séparations, des rendez-vous manqués, de l'attente...

Sans répondre, la jeune femme se pressa contre lui. A ce contact, la tension latente qui vibrait entre eux depuis le début de l'après-midi se libéra de manière fulgurante. Oublieux de l'endroit où ils se trouvaient, Simon l'embrassa avec passion, les mains glissées sous son pull-over. Elle frissonna, fiévreuse, son corps comme un instrument docile qu'à la première caresse, Simon pouvait faire résonner à l'infini. Le souffle court, elle ouvrit les yeux... et se raidit, affolée.

— Simon, regarde en bas, dans l'allée ! Quelqu'un arrive !

L'agent immobilier dont Philip lui avait parlé ! comprit-t-il aussitôt.

— Zut, zut et zut !

Révolté contre ce hasard pernicieux, il la serra encore un peu plus fort contre lui. Voyons... Combien de temps faudrait-il à leur visiteur indésirable pour parvenir au deuxième étage ? Bah... si cet homme faisait correctement son travail, ils avaient une éternité devant eux !

— Ne tremble pas, ma Juliet, chuchota-t-il à son oreille. Nous avons tout le temps.

— Simon, non ! C'est... c'est de la folie. Je ne peux pas...

Ses jambes ne la supportaient plus. Elle s'affaissa lentement sur le parquet nu, soutenue par les bras de Simon. D'en bas, leur parvint le bruit lointain d'une clé tournant dans la serrure.

— Tu entends ? chuchota-t-elle.

— Chut! n'écoute plus...

Et elle y parvint, sans effort, emportée hors de la réalité par l'ouragan d'un désir irrépressible. Leur soif fut assouvie avec la même fulgurance qu'elle était venue et pourtant, lorsque Simon retomba sur elle, Juliet éprouva une sensation de plénitude totale. Comblée, la tête bourdonnante, elle pressa doucement la joue contre sa poitrine. Ce fut l'écho d'un pas lourd résonnant dans la maison vide qui la ramena brutalement à la raison.

— Simon...

Ils bondirent sur leurs pieds. D'une main tremblante, la jeune femme réajusta ses vêtements. Déjà, les marches craquaient dans l'escalier de la tourelle.

— Qui va là? tonna Simon de sa voix grave en décochant un clin d'œil complice à Juliet.

L'arrivant sursauta, manifestement pris au dépourvu.

— Je... je suis un agent immobilier. Je suis désolé, j'ignorais que vous étiez là.

Juliet réprima un sourire. Simon avait réussi à le décontenancer. S'il était venu quelques minutes plus tôt, la situation aurait été pour le moins différente!

— Aucun problème, nous étions sur le point de partir, de toute façon, lui assura-t-elle aimablement en prenant le bras de son compagnon.

Très dignes, ils descendirent les marches. A l'abri des regards, dans la voiture, ils échangèrent un regard et éclatèrent de rire. Médusée par sa propre audace, la jeune femme secoua la tête. Elle, la très sérieuse avocate, s'avérait capable des actes les plus insensés depuis qu'elle connaissait Simon! Elle posa une main sur son genou et, unis par une complicité nouvelle, ils roulèrent en silence jusqu'à son appartement.

Simon n'avait pas sitôt franchi le seuil de la porte, qu'il se précipitait sur le téléphone et avertissait Philip que la maison n'était plus à vendre! Juliet et lui passèrent le reste du week-end à élaborer des projets, à établir des listes, à prévoir ce qu'il leur faudrait emporter.

Lorsque le jeune homme passa chez Philip le dimanche soir pour lui rendre les clés, son ami le guettait avec impatience et la porte s'ouvrit en grand avant même qu'il ait frappé.

— Entre vite, mon vieux! Sais-tu que tu as une mine nettement plus engageante qu'hier matin?

— Ce sont les effets salvateurs d'un week-end passé en excellente compagnie! Sans parler de la perspective de vivre enfin avec Juliet. Je te dois une fière chandelle, Philip.

— A charge de revanche, mon ami!

Simon s'apprêtait à repartir lorsqu'il y eut un grand fracas dans l'escalier. Timmy qui dévalait les marches avec des petites voitures sous chaque bras venait de laisser tomber son chargement.

— Hé, Simon, ne pars pas tout de suite. Il faut d'abord que tu répares ma moto!

Le jeune homme ramassa en souriant les restes du jouet.

— Le jour où j'en inventerai une qui te résistera, je pourrai coller le label « incassable » sans la

202

moindre arrière-pensée, fit-il en lui ébouriffant les cheveux.

Timmy remontait déjà dans sa chambre lorsqu'il lança par-dessus son épaule :

— Maman est venue hier. Je te transmets son bonjour !

Simon tressaillit, furieux contre lui-même d'avoir oublié.

— Comment la visite s'est-elle passée ? s'enquit-il à voix basse.

Les poings serrés dans ses poches, Philip arpenta nerveusement le séjour.

— C'était plutôt tendu... Eileen n'avait pas bu ; du moins, pour autant que j'aie pu en juger. Mais le temps passe et ses rapports avec Michael et Timmy ont beaucoup perdu de leur spontanéité...

... *Tout comme ceux qu'elle a encore avec moi*, songea-t-il.

— Quoi qu'il en soit, elle s'est bel et bien mis en tête de les reprendre, ajouta-t-il d'un ton grave.

— Ce n'est pas possible ! Comment as-tu réagi ?

— Que veux-tu que je lui dise ? J'ai refusé, bien sûr ! Je n'ai pas l'intention de renoncer à eux, Simon. Elle peut venir les voir aussi souvent qu'elle veut. Et si elle réussit à résoudre son problème, je les lui laisserai de temps en temps pour la journée, mais c'est tout. Enfin, zut, c'est elle qui est partie, tout de même ! s'exclama-t-il, les yeux étincelant de colère.

— Tu sais que je te donne tout à fait raison, Philip... Mais ne crains-tu pas qu'elle traîne cette affaire devant la justice ?

— C'est possible. Eileen était furieuse en partant d'ici.

— Franchement, Philip, quand vas-tu te décider à voir un avocat ? Tu pourrais commencer par en parler à Juliet, par exemple.

Philip demeura un long moment sans répondre. Il se rendait bien compte qu'aux yeux d'autrui, son attitude passive devait passer pour de l'aveuglement, mais l'idée de recourir à des tiers pour résoudre ce conflit avec Eileen lui était insupportable. Contre toute logique, il ne pouvait s'empêcher d'espérer qu'ils régleraient le différend entre eux. Qui sait même si Eileen ne finirait pas par entreprendre une thérapie qui, à la longue, sauverait leur couple ?

— Merci de me le proposer, Simon. Mais je préfère nous accorder un dernier sursis, à elle et à moi... Eh oui, tu vois, je n'ai pas encore tout à fait renoncé à croire au miracle, soupira-t-il en accompagnant son ami jusqu'à la porte.

En fin d'après-midi, le mercredi de la semaine suivante, Juliet se tenait à la fenêtre de son bureau, contemplant sans la voir la ville noyée sous la pluie. La journée avait été éprouvante, comme si toutes ses clientes s'étaient donné le mot pour s'effondrer en larmes dans son cabinet. Tous les mariages étaient-ils donc condamnés à commencer tels des contes de fées et à se terminer comme des cauchemars ? En tout cas, l'expérience des autres ne lui servait guère de leçon puisqu'elle s'apprêtait à vivre quelques mois avec Simon...

Pire même, lorsque ses pensées vagabondaient sans entrave, Juliet se surprenait à faire des rêves d'avenir partagé. De projets formés en commun, d'enfant que Simon et elle verraient grandir ensemble, de maison à aménager, de la douceur de vieillir à deux...

Un coup frappé à sa porte l'arracha en sursaut à ses rêveries. Linda fit irruption dans la pièce, son imperméable jeté sur les épaules.

— Terminée, la journée! Je me dépêche de rentrer. Steve se plaint qu'il ne me voit plus...

Juliet étouffa un bâillement.

— Je crois que je vais suivre ton exemple. Je suis épuisée.

— Désolée de te décevoir, mais il faudra que tu patientes encore un peu. Je viens d'apercevoir la mystérieuse jeune femme blonde dans ta salle d'attente. Tu sais, celle qui refuse de donner son nom. Je pensais que tu étais au courant.

Juliet secoua la tête.

— J'ignorais qu'elle était là. Il semble qu'elle préfère venir sans prendre de rendez-vous. Alice m'a appris qu'elle était passée à plusieurs reprises pendant que j'étais à Carmel, mais elle refuse de laisser ses coordonnées.

— Pauvre femme... il est évident qu'elle souffre d'un délire de persécution. Comment comptes-tu procéder avec elle?

— Que veux-tu que je fasse? L'écouter, je suppose... C'est vraisemblablement d'une oreille attentive qu'elle a le plus besoin...

La jeune femme redressa la taille en pénétrant dans le bureau de son avocate. Elle était sûre de son bon droit, cette fois-ci. C'est à peine si elle touchait un verre d'alcool de temps en temps. De ce côté-là, elle n'avait donc plus rien à se reprocher. D'autre part, elle avait parlé à son mari, exactement comme Miss Cavanaugh le lui avait suggéré. Mais ce dernier n'avait rien voulu entendre, comme d'habitude. Comme d'habitude, il avait suggéré une cure à l'hôpital, un stage de réintégration, et Dieu sait quoi encore. C'était ridicule et humiliant. Des prétextes pour ne pas lui rendre ses bébés. Dans ces conditions, son avocate ne pouvait faire moins que de prendre les mesures qui s'imposaient afin qu'elle récupère au plus vite ses enfants.

S'efforçant d'oublier sa fatigue, Juliet sourit à sa cliente et lui indiqua de s'asseoir.

— Bonsoir, madame. En quoi puis-je vous aider?

Le dos rigide, l'inconnue s'assit sur le bord du fauteuil.

— J'ai suivi vos conseils, annonça-t-elle tout à trac. Et sans le moindre résultat.

Elle leva vers Juliet un regard accusateur, comme si cette dernière était personnellement responsable de cet échec.

— Plus précisément?

— J'ai vu mon mari et je lui ai demandé de me laisser mes enfants. Juste un week-end pour commencer. Il n'a pas voulu.

Elle se tut et baissa la tête, sans cesser de tordre son mouchoir entre ses doigts.

— Vous a-t-il précisé le motif de son refus?

— Il affirme que je bois. Mais c'est faux! Ce n'est tout de même pas un verre de vin occasionnel qui peut faire de moi une mauvaise mère!

Une affirmation qui restait hélas à prouver, songea Juliet avec pessimisme. Mais c'était un bon signe qu'elle ait déjà entrepris de restreindre sérieusement sa consommation. Elle avait d'ailleurs bien meilleure mine aujourd'hui que lors de sa dernière visite. La jeune femme griffonna quelques notes. Le moment était venu de lui demander son nom, mais elle préférait la questionner d'abord sur ses « bébés » afin de la mettre en confiance.

— Quel âge ont vos enfants?

Le visage de son interlocutrice s'illumina.

— Quatre et sept ans. J'ai une photo récente sur moi, voulez-vous les voir?

— Volontiers, acquiesça poliment Juliet.

Déjà la jeune femme fouillait son sac d'une main impatiente. Elle en retira deux clichés écornés et les lui tendit. La jeune femme écarquilla les yeux lorsqu'elle se pencha sur les portraits souriants de Michael et de Timmy!

— Mon Dieu! mais vous êtes Eileen Gent...

Juliet se tut, consternée. C'était bien la première fois au cours de sa carrière qu'elle réagissait avec un tel manque de discrétion professionnelle. Elle ne fut pas autrement surprise lorsque Eileen se raidit, une lueur hostile au fond de ses yeux bleu pâle.

— Comment le savez-vous?

— Je connais vos fils, madame Gentry, se hâta-t-elle d'expliquer. Ils sont très attachants l'un et l'autre, et...

— Où les avez-vous rencontrés?

Juliet hésita.

— Par l'intermédiaire de Simon Talcott.

— Par Simon? Alors vous êtes de son bord, à lui! vociféra Eileen, hors d'elle. Et vous m'avez menti!

— C'est inexact, madame Gentry. Comment cela aurait-il pu être le cas? N'oubliez pas que jusqu'à aujourd'hui, j'ignorais qui vous étiez!

Mais Eileen n'entendit même pas ses protestations. A bout de nerfs, elle se mit à hurler:

— Vous ne valez pas mieux que les autres! Vous ferez tout pour que je ne retrouve pas mes bébés, n'est-ce pas?

D'un geste rageur, elle saisit les photos sur le bureau et plongea dans les yeux de la jeune femme un regard d'une intensité presque démentielle.

— Je vais vous dire une chose, Miss Cavanaugh : d'une manière ou d'une autre, je m'arrangerai pour reprendre mes enfants. Et rien ni personne ne pourra m'en empêcher, vous m'entendez? Et surtout pas vous!

Sur ces mots, Eileen se précipita vers la porte et sortit en la faisant claquer derrière elle. Etrangement, sa colère retomba aussi vite qu'elle était venue. Pourquoi avait-elle provoqué cet éclat? se dit-elle en pénétrant dans l'ascenseur. Juliet Cavanaugh était vraisemblablement de bonne foi...

Mais le choc avait été trop violent. Si l'avocate connaissait Michael et Timmy, elle devait aussi fréquenter Philip, il ne pouvait en être autrement. La découverte que la seule personne en qui elle avait un tant soit peu confiance appartenait en fait au camp ennemi lui avait été tellement intolérable qu'elle avait un instant perdu la tête…

Comme la vie était injuste ! Vers qui se tourner, désormais ? Quoi qu'elle fasse, il semblait que tout le monde, toujours, était contre elle. Inutile d'aller voir un autre avocat. De toute façon, ils devaient tous connaître Philip de près ou de loin. Et ses enfants… même ses enfants n'étaient plus comme avant. Timmy était toujours aussi câlin, mais Michael avait tellement grandi. Quel rapport y avait-il encore entre son monde et le sien ? Non, cela ne pouvait plus durer. Eileen était si seule… Coûte que coûte, il fallait qu'elle retrouve ses deux petits anges, ses bébés. Et cela avant que le gouffre entre eux ne devienne infranchissable…

Lorsque Eileen sortit dans la rue, une pluie fine continuait à tomber sur la ville. S'éloignant du front de mer, elle s'enfonça dans les rues du centre. Est-ce que ce fut un effet du hasard si ses pas la portèrent insensiblement vers ce bar où, naguère encore, elle avait coutume de se rendre ? Tentée, Eileen ralentit puis s'arrêta tout à fait. A travers la vitre embuée, la jeune femme distingua le barman qu'elle connaissait bien, les habitués… Au comptoir, les discussions allaient bon train, on riait à gorge déployée. Saisie de vertige, Eileen se rapprocha de l'entrée. Elle n'avait qu'un geste à faire et elle trouverait un peu de chaleur, elle laisserait derrière elle la solitude, la peur, la bruine glacée!

D'un mouvement résolu, Eileen poussa la porte du café...

Tout au long de la semaine qui suivit, le visage torturé d'Eileen hanta la mémoire de Juliet. Si au moins elle avait su contrôler sa première réaction de surprise! Comment avait-elle pu se montrer maladroite à ce point? Il était clair que la jeune femme ne réussirait jamais à mener à bien sa lutte contre l'alcool si elle n'avait personne pour la soutenir et l'aider. Et elle était tellement seule, de toute évidence... Seule et désespérée. Et aussi, prête à tout. Jusqu'à quelles extrémités irait-elle pour récupérer Michael et Timmy? Juliet exhala un long soupir. Liée par le secret professionnel, elle ne pouvait même pas en toucher mot à Simon...

Finalement, les préparatifs en vue du déménagement réussirent à la distraire de ses sombres pressentiments. Simon et elle avaient décidé de n'apporter que le strict minimum : une table et des chaises de cuisine, un lit et des vêtements. Tant pis si c'était un peu austère! Ils ne voulaient surtout pas s'encombrer. Le plus extraordinaire fut, qu'en dépit de ce décor dépouillé jusqu'à l'extrême, ils se sentirent aussitôt chez eux! Les semaines passaient comme dans un rêve. La maison devenait foyer....

Ils se surprirent même à rentrer de plus en plus tôt chaque soir, à remettre en question leurs anciennes habitudes de travail. Leur vie professionnelle trépidante n'avait-elle été, en définitive, qu'une façon de combler un vide? Désormais, Juliet tenait plus que tout à leurs longues soirées passées au coin du feu, pelotonnés dans les grands poufs que Simon avait fini par aller chercher chez lui le jour où il en avait eu assez de s'asseoir par terre.

Une seule ombre au tableau: la jeune femme n'avait encore constaté aucun signe de grossesse. Mais elle ne s'alarmait pas outre mesure. Ils avaient le temps... Et comme Simon se plaisait à le lui répéter, il fallait qu'elle perde l'habitude de calculer, de planifier et de contrôler! Christie et lui étaient unanimes sur la question: le volontarisme n'était pas de mise en matière de conception!

Le second sujet d'inquiétude de la jeune femme avait trait à la maison. Après un mois d'occupation, elle était toujours dans le même état que lorsqu'ils y étaient entrés!

— As-tu rappelé le décorateur, Simon? s'enquit-elle, un soir, le regard rivé sur le plafond craquelé du séjour.

Simon leva les yeux du catalogue de papiers peints qu'il feuilletait distraitement.

— Ah oui! je voulais t'en parler, justement. J'ai eu sa femme aujourd'hui. Imagine-toi qu'il s'est cassé une jambe en tombant d'une échelle!

— C'est incroyable! Et ni le plâtrier ni le maçon n'ont daigné se montrer non plus. Sais-tu à quoi j'ai pensé, Simon? Nous devrions en faire une partie nous-mêmes! Ce serait amusant.

— Amusant?

Simon laissa errer un regard sceptique sur les murs. Avec une hauteur sous plafond de presque trois mètres, la tâche serait ardue! Mais pourquoi pas, après tout?

— Tu as peut-être raison, Juliet. En tout cas, nous pouvons essayer.

Les yeux de la jeune femme scintillèrent de plaisir. Remettre une vieille maison en état était son rêve depuis toujours!

— Il faudra enrôler des amis pour nous aider! s'exclama-t-elle. Christie sera la personne tout indiquée pour nous conseiller dans le choix des couleurs.

— Et Philip sera précieux pour poser les papiers peints et les tapisseries. A ce propos, que dirais-tu de celui-ci pour le hall?

Gagné par son excitation, Simon avait repris le catalogue. Mais Juliet ne jeta même pas un regard sur la page qu'il lui montrait.

— Philip est-il informé de la nature un peu spéciale de notre mariage?

Etonné, Simon releva la tête.

— Bien sûr! C'est lui qui a rédigé le contrat. Cela t'ennuie?

— Non...

— Quel est le problème, alors?

L'espace d'un instant, Juliet hésita. Depuis qu'elle savait que sa mystérieuse ex-cliente n'était nulle autre qu'Eileen Gentry, la présence de Philip lui procurait un certain malaise. Et la perspective de l'avoir des journées entières chez elle lui apparaissait soudain comme une forme atténuée de trahison. Mais comment expliquer cela à Simon alors qu'il lui était interdit de dévoiler ses motifs ?

— Il n'y aucun problème, répliqua-t-elle avec une feinte indifférence.

Simon lui décocha un regard perçant.

— En es-tu bien certaine ?

— Tout à fait. Voyons... ce serait donc ce papier peint que tu aimerais poser dans le vestibule ?

10.

Sourcils froncés, Philip reposa le combiné. Une fois de plus, Eileen avait raccroché sans lui laisser le temps de parler. L'écho de sa voix étranglée par la colère continuait de résonner à ses oreilles comme il demeurait figé près du téléphone.

— C'est aujourd'hui que je veux venir ! Ce sont *mes* enfants, et tu n'as pas le droit de m'empêcher de les voir ! Tu te sers d'eux pour te venger de moi !

— Eileen, combien de fois devrai-je te répéter que j'ai promis à Simon de l'aider à peindre son salon ? Passe donc demain, nous serons à la maison toute la journée.

Cette proposition somme toute raisonnable n'avait servi qu'à déchaîner son animosité. Eileen voulait prendre Michael et Timmy avec elle aujourd'hui même, pendant son absence. Il n'était qu'un tyran, un bourreau... En conflit avec sa propre conscience, Philip se passa la main sur les yeux. Il y avait quelque chose de monstrueux à la frustrer ainsi de la compagnie de ses enfants. D'un autre côté, si elle se mettait à boire...

— Papa! j'ai faim.

Pieds nus et en pyjama, Timmy se tenait dans la cuisine, avec sur son petit visage encore ensommeillé sa moue des mauvais jours. Au même moment, Philip perçut une odeur âcre de flocons d'avoine brûlés. Pestant à voix basse, il se rua vers la cuisinière. Trop tard. Les mâchoires crispées, il retira du feu la casserole au fond noirci.

— Timmy! s'exclama-t-il. Je t'ai déjà dit de t'habiller!

Effrayé par cet accès de colère immérité, le garçonnet lâcha le jus de raisin qu'il s'apprêtait à boire et le liquide violacé se répandit sur le carrelage au milieu d'une constellation d'éclats de verre. Sanglotant bruyamment, il s'enfuit en courant vers sa chambre. La vague de découragement qui submergea Philip fut si puissante qu'il dut s'appuyer contre le réfrigérateur. Combien de temps encore réussirait-il à tenir seul? A concilier l'éducation de ses enfants et son travail d'avocat? Il se savait à bout de nerfs. Trop épuisé pour essuyer les reproches cinglants et les scènes que, jour après jour, Eileen lui infligeait au téléphone depuis quelques semaines... D'un geste las, Phil prit la serpillière et se baissa pour réparer les dégâts. Il fallait remettre du porridge à cuire, la vaisselle de la veille traînait dans l'évier. Un désordre qui n'était que le pâle reflet du chaos qu'était devenue sa vie...

Lorsqu'une heure plus tard, il sonna chez Juliet et Simon, Philip avait recouvré une humeur plus sereine. Le ciel était sans nuages en cette claire journée de décembre et l'excitation des enfants avait fini par se communiquer à lui. Timmy était fou de joie à l'idée de voir son ami Simon. Quant à Michael, il s'était pris d'affection pour Juliet depuis qu'elle l'avait peint à la lotion à la calamine !

Ce fut la jeune femme qui leur ouvrit, vêtue d'un jean maculé de peinture et d'une vieille chemise de Simon. Jamais elle n'avait été aussi radieuse...

— Vous arrivez juste à temps ! s'exclama-t-elle. Simon a entrepris de monter un échafaudage. Et j'ai l'impression qu'il a un besoin pressant d'aide masculine !

— Je suis prêt, annonça Timmy en brandissant un marteau presque aussi grand que lui.

Michael le toisa du haut de ses sept ans.

— Toi, tu es trop petit. Tu ne sers à rien.

— Michael ! intervint Philip en saisissant fermement son aîné par l'épaule.

Juliet réprima un sourire.

— Tu connais le chemin, Philip. Je crois que, pour ma part, je vais tout de suite montrer à Michael et à Timmy ce que Simon a rapporté du bureau, hier soir.

La veille, Simon et elle avaient entreposé une demi-douzaine de cartons de jouets dans une des chambres. De quoi occuper les deux petits diables pendant une journée entière ! Impressionnés, ils se ruèrent dans la salle de jeu improvisée.

— Je veux bien vous aider à peindre, finit par murmurer Michael, les yeux brillant de convoitise. Mais je ne peux quand même pas laisser Timmy tout seul ici.

Amusée par ce soudain accès de dévouement, Juliet lui serra gentiment l'épaule.

— Vous avez quartier libre, les enfants. A tout à l'heure !

A trois, le travail avançait vite et au bout de deux heures à peine, la salle à manger était méconnaissable. Simon surtout n'en revenait pas.

— Mes félicitations pour ton choix de couleur, Juliet ! La teinte paraissait laide dans le pot, mais le résultat est surprenant.

— Je te l'avais bien dit ! fit la jeune femme, triomphante.

Philip secoua la tête.

— Les femmes sont toutes les mêmes. Eileen aussi avait un goût infaillible dans le domaine de la décoration. A mon grand dam, elle avait toujours raison !

Simon jeta un regard à la dérobée vers son ami. C'était l'occasion qu'il attendait pour aborder le sujet d'Eileen en présence de Juliet. Qui sait si une conversation avec la jeune femme n'aurait pas une action stimulante sur Philip ?

— A-t-elle appelé, récemment ? s'enquit-il avec nonchalance.

Sourcils froncés, Philip continua à passer son rouleau.

— Oui, ce matin encore. Elle avait décidé qu'il lui fallait impérativement voir les garçons aujourd'hui.

Juliet tressaillit et son pinceau dévia légèrement. La jeune femme ne voulait surtout rien entendre ; garder le plus de distance possible entre elle et les déboires de couple de Philip et Eileen Gentry.

218

— Comment as-tu réagi, Philip? questionna Simon.

— Je lui ai proposé de venir plutôt demain. Mais elle avait une tout autre solution en tête... Elle ne comprend pas que je ne les lui laisse pas pour la journée, ajouta-t-il avec un soupir.

Juliet se représenta le visage d'Eileen, ses yeux bleu pâle agrandis par le chagrin, comme deux miroirs où se reflétaient distinctement sa solitude, sa frustration.

Philip, cependant, poursuivait d'une voix lasse:

— J'étais tenté d'accéder à sa demande, tout simplement, de lui faire plaisir. Mais ils sont encore si jeunes! Ai-je le *droit* de prendre ce risque? Si elle boit, mon Dieu, je n'ose imaginer ce qui pourrait arriver.

Simon lui posa la main sur l'épaule.

— Ecoute, Philip, nous avons débattu de la question des centaines de fois sans parvenir au moindre résultat. Pourquoi ne pas demander l'opinion de Juliet? En tant que femme, elle pourrait nous apporter un point de vue différent.

Les dents serrées, la jeune femme continuait à peindre avec application. Coûte que coûte, elle devait éviter de se laisser impliquer.

— Je ne vois pas en quoi le fait d'être une femme me procurerait plus de perspicacité, marmonna-t-elle.

Simon fronça les sourcils. Pourquoi se montrait-elle si peu coopérative?!

— Quoi qu'il en soit, rien ne t'empêche de nous donner ton avis, Juliet! Quelle attitude adopteraistu envers une femme qui quitte son foyer, a une tendance à l'alcoolisme et désire quand même reprendre ses enfants ?

Et voilà : en quelques mots, le portrait d'un mariage brisé... Pour son malheur, Juliet connaissait la position d'Eileen comme celle de Philip. Qui était-elle pour juger de qui avait tort ou raison ? Et pourtant, elle ne pouvait se dérober plus longtemps. Simon lui avait adressé directement sa question.

— Il me semble qu'Eileen a besoin d'aide, murmura-t-elle.

Soudain tout ouïe, Philip se tourna vers elle. La pertinence de sa réponse le surprenait agréablement. Peut-être pourrait-elle réellement lui apporter des éléments de solution ?

— C'est tout à fait ainsi que je vois les choses, Juliet. Mais comment persuader quelqu'un qui refuse d'écouter, qui m'accuse simplement de ne rien comprendre ? D'après elle, je me sers des enfants pour la faire souffrir.

— A-t-elle essayé de contacter les Alcooliques Anonymes ?

— Non, elle s'y refuse.

Pour la première fois, Juliet nota à quel point le visage de Philip était marqué, prématurément vieilli. Il semblait si amer, si découragé. En face, se tenait Eileen, solitaire, effrayée, cherchant une consolation éphémère dans l'alcool. Et au milieu, les enfants, ces éternelles victimes...

— C'est un terrible cas de conscience pour moi, avoua Philip. Je me rends bien compte qu'en tant

220

que mère, elle a des droits sur nos enfants. Mais si elle s'enivre? Elle a déjà eu un grave accident de voiture. Je ne *peux* pas prendre la responsabilité de lui confier Timmy et Michael. Ce ne serait pas juste envers eux!

Comme Juliet ne réagissait pas, Simon rompit le silence.

— Moi il me semble que le remède est évident: Philip a besoin d'un avocat. Pourquoi ne l'aiderais-tu pas, Juliet?

La jeune femme se figea. Simon avait raison, certes. Mais il était hors de question qu'elle se porte volontaire. Ce serait au-dessus de ses forces...

— Pour être franche, je préfère ne pas mêler travail et amitié, déclara-t-elle, terriblement embarrassée.

Face au malaise général qui s'ensuivit, elle enchaîna aussitôt:

— Je... je vais vous laisser entre hommes à présent. Michael et Timmy doivent avoir faim. Je leur ai acheté des gâteaux ce matin.

Simon attendit le départ de Philip avant de laisser éclater sa colère.

— Je ne comprends vraiment pas ton attitude de tout à l'heure, Juliet! Voilà des mois que je m'efforce de convaincre Philip de voir un avocat. Il se sentait en confiance avec toi, c'était évident. Pourrais-tu m'expliquer pourquoi tu t'es dérobée de façon aussi grossière?

Pour éviter de le regarder, Juliet rangeait les assiettes dans le lave-vaisselle.

— Je te l'ai dit, c'est une question de principe. Je ne mélange pas l'amitié et le travail, Simon...

221

— C'est vraiment la plus mauvaise raison que tu puisses inventer! Philip est mon ami depuis toujours et il a collaboré avec moi sans que cela pose jamais le moindre problème. Les avocats défendent toujours les gens qui leur sont proches.

Sans répondre, Juliet referma la porte du réfrigérateur.

— Je t'ai posé une question, Juliet! Est-ce parce que Philip est un homme? Cela suffit-il à le mettre en tort à tes yeux?

Piquée au vif, elle l'affronta.

— C'est faux et tu le sais!

— Alors *pourquoi*, Juliet? s'exclama-t-il.

Elle prit une profonde inspiration.

— Pour une raison très simple, Simon Talcott: Eileen s'est déjà mise en rapport avec moi!

Un silence irréel suivit cette révélation. D'une démarche pesante, Simon se dirigea vers la table de cuisine et se laissa choir sur une chaise. Sans un mot, Juliet s'installa en face de lui.

— Ainsi tu assures la défense d'Eileen?

— Non, Simon. Sa méfiance envers autrui est telle qu'elle a toujours refusé de me donner son nom. Lorsque j'ai découvert par hasard qui elle était, elle s'est mise en colère et elle est partie. Mais comprends-tu, à présent, pourquoi je ne peux pas représenter Philip en justice?

Avec un indicible soulagement, la jeune femme nota que l'expression de Simon avait cessé d'être hostile. C'était de plus une libération de pouvoir aborder enfin avec lui ce sujet qui lui pesait sur la conscience.

222

— Eileen a vraiment besoin d'un soutien, d'un appui, Simon, poursuivit-elle avec fougue. Elle a l'impression que la terre entière s'est liguée contre elle pour l'empêcher de retrouver ses enfants.

— Mais il y a ce problème de boisson, tout de même !

— C'est vrai... Oh, je ne prétends pas être en mesure d'apporter un remède ou de décider qui a tort ou qui a raison dans ce couple. Tout ce que je sais, c'est qu'Eileen est à bout, Simon. J'ai le pénible pressentiment qu'elle pourrait tenter une action désespérée...

Le visage de Simon se durcit. Il songea aux souffrances de Philip, à la lutte incessante qu'il lui fallait mener pour concilier travail et vie domestique.

— Eileen n'est peut-être pas la seule à avoir besoin d'aide, laissa-t-il tomber d'un ton abrupt avant de quitter la pièce.

Demeurée seule, Juliet exhala un long soupir. Si Simon et elle voulaient préserver l'extraordinaire harmonie qui régnait entre eux, il était clair que le sujet « Philip et Eileen » devrait, dorénavant, rester tabou...

Un dimanche après-midi pluvieux, Juliet paressait près du feu, le regard perdu dans les flammes. A ses côtés, Simon lisait, absorbé dans une revue. Comblée, la jeune femme ferma les yeux. Ils étaient tellement bien ensemble qu'ils n'avaient même plus besoin de faire l'amour pour se sentir proches, complices, liés. Envahie par une agréable torpeur, elle posa la tête sur sa poitrine, frottant sa joue contre sa chemise. Tout était si parfait...

— Juliet?

— Mmmm...

A demi assoupie, la jeune femme cligna des paupières. Lorsqu'elle les ouvrit tout à fait, le reflet dansant des flammes joua dans la profondeur émeraude de ses prunelles, leur conférant une singulière douceur.

— As-tu songé que Noël approchait, Juliet?

— Noël? mais c'est dans une éternité!

— Dans deux semaines, très exactement. Je suppose que tu passes les fêtes avec Christie, d'habitude?

La jeune femme étouffa un bâillement.

— D'habitude? Je n'en ai pas, justement. Ces dernières années, maman est toujours partie skier pendant la durée des vacances.

Simon parut surpris.

— Alors pas de repas de famille, pas de cadeaux, pas de sapin?

— Ma famille se résume à Christie! Quand j'étais petite fille, je recevais des cadeaux, bien sûr, mais il n'y a jamais eu de sapin de Noël à la maison. Maman qui a des théories sur tout estime qu'il est contradictoire et cruel de célébrer la Nativité par le meurtre d'un arbre!

— Evidemment, l'idée se tient. Mais tout de même... un Noël sans sapin!

Elle lui sourit.

— Je suis prête à parier que chez ta mère, il y en a toujours un, immense et décoré avec soin, des

224

montagnes de cadeaux dessous et un festin suffisant pour nourrir une armée !

— Bien sûr ! Sans oublier ma sœur, son mari, leurs enfants, ma tante Elinor et son petit chien, et naturellement une ribambelle de cousins !

Les yeux de Juliet étincelèrent d'enthousiasme.

— Oh, Simon, cela doit être tellement amusant, un vrai Noël en famille !

Elle brûlait d'envie d'être invitée ! devina Simon. Il venait de commettre un impair en lui faisant miroiter cette possibilité. Mais à deux semaines de Noël, comment annoncer à sa mère qu'il arrivait avec une épouse dont personne n'avait entendu parler ? Si au moins, il avait eu le courage d'avouer tout de suite à Juliet qu'il avait passé leur mariage sous silence...

— Cette année, je ne pense pas me rendre à Boston, toutefois, annonça-t-il avec désinvolture. Il faut varier un peu les plaisirs.

Juliet fronça les sourcils. Elle connaissait le poids de la tradition en matière de fêtes familiales. Simon n'avait aucune raison valable pour ne pas s'y conformer, cette fois-ci. A moins que... ?

— Est-ce à cause de moi, Simon ?

— Oh non, pas du tout. Mais c'est toujours un tel remue-ménage avec les enfants.

— Ah...

L'argument était pauvre, admit Simon. Comme elle se cantonnait dans un silence distant, il reprit sa revue mais ne réussit pas à se concentrer. Pour la première fois, il avait menti à Juliet et elle en souffrait... Il s'éclaircit la voix.

— Il serait temps que je t'apprenne la vérité, Juliet.

Sans rien dire, elle leva vers lui un regard incertain.

— Nous ne pouvons aller à Boston pour Noël car ma famille ignore que nous sommes mariés. Voilà… j'aurais dû t'en parler bien avant, je suis désolé.

La jeune femme baissa la tête. Après ses éclaircissements de tout à l'heure, cette révélation ne la surprenait qu'à moitié.

— Je vois.

Simon bondit sur ses pieds.

— Vu les conditions un peu particulières, j'avais estimé, à l'époque, que le silence serait la meilleure politique… Mais à présent, je regrette de m'être tu.

Il s'agenouilla près d'elle et prit ses deux mains entre les siennes.

— Nos rapports ont beaucoup évolué, Juliet. Ce n'est plus comme au début.

Un sourire très tendre joua sur les lèvres de la jeune femme. Il n'avait pas besoin d'en dire plus. Elle aussi avait senti ce qui se passait entre eux, leur complicité, la qualité particulière de leurs silences, le bonheur de se réveiller côte à côte, jour après jour…

— T'interroges-tu parfois sur l'avenir, Juliet ?

L'avenir… Il y avait eu un temps où elle ne pensait à rien d'autre ! Son futur enfant était alors son unique préoccupation. Mais maintenant…

— Plus tellement. Le présent a pris toute la place. Et… et je ne me sens pas encore prête à regarder plus loin, avoua-t-elle à voix basse.

Avec une grande douceur, Simon lui effleura la joue. Il comprenait et était disposé à attendre.

— Et si nous fêtions Noël, ici, tout simplement ? suggéra-t-il. Toi et moi, à notre façon ?

— Cela me ferait plaisir, Simon. Vraiment, très plaisir.

Elle tendit les bras vers lui et il la serra passionnément contre son cœur. Même si aucune promesse n'avait été échangée, un lien nouveau venait de se tisser entre eux. Ce soir-là, lorsqu'ils firent l'amour devant l'âtre, le jeu ardent de leurs corps avait pris une dimension neuve, plus grave, plus intense...

Juliet ne se souvenait pas d'avoir jamais attendu Noël avec autant d'impatience. La veille du grand jour, la jeune femme était plongée dans un livre de cuisine, étudiant pour la première fois de sa vie la recette de la dinde traditionnelle, lorsque des coups furent frappés à la porte.

— Juliet ! lui parvint la voix de Simon. Ouvre-moi, s'il te plaît.

Elle s'étira paresseusement avant de répondre à l'appel.

— As-tu oublié ta clé ? s'enquit-elle en tirant à elle le lourd battant de chêne.

Il était écarlate ! constata-t-elle alarmée.

— Simon ! Tout va bien ?

— Très bien ! Et reste où tu es surtout ! Mieux même, va m'attendre dans le séjour et ferme les yeux.

Une surprise ! Ils avaient pourtant décidé de ne pas se faire de cadeaux. De quoi pouvait-il bien s'agir? s'interrogea-t-elle tout en obéissant. Il y eut des bruits étranges, comme si Simon traînait un objet extrêmement lourd et volumineux dans le couloir. Les sons se rapprochèrent et une senteur boisée emplit soudain la pièce. Une odeur âpre et piquante qui ressemblait à... non qui *était* celle du sapin!

Juliet souleva les paupières. Devant l'immense baie vitrée se dressait le plus beau conifère qu'elle ait jamais vu.

— Un sapin de Noël! murmura-t-elle. Tu m'as acheté un sapin de Noël!

Simon se rengorgea.

— Exactement! Et il n'y a pas plus vivant que lui! Regarde, il a encore toutes ses racines. Je me suis souvenu des théories de Christie et je n'ai pu que lui donner raison! Ta mère est peut-être un peu excentrique mais certaines de ses idées sont tout à fait valables.

La jeune femme n'avait pas bougé. Les mains devant la bouche, elle contemplait l'arbre sans rien dire, le cœur vibrant d'émotion.

— Juliet? s'inquiéta-t-il. Cela ne te déplaît pas, au moins? Il n'est pas perdu, nous le planterons dans le jardin dès le mois de janvier.

Et soudain la joie explosa en elle. Rieuse, Juliet se jeta à son cou.

— Oh, Simon, chuchota-t-elle. C'est le plus beau cadeau de ma vie!

Il poussa un soupir de soulagement et la serra tendrement contre lui. Elle était vraiment contente, c'était tout ce qu'il demandait!

— Et maintenant, Juliet, passons à mon activité préférée : la décoration ! Je n'ai acheté que les lumières, tu sais. Pour le reste, il faudra nous en remettre à notre créativité.

Pendant qu'il fixait les bougies, Juliet se souvint tout à coup de l'immense carton que Christie leur avait donné pour distraire Michael et Timmy.

— Nous allons fabriquer une étoile et des oiseaux ! s'écria-t-elle en brandissant triomphalement de grandes feuilles de papier doré.

Avec une louable patience, Juliet entreprit d'enseigner à Simon quelques rudiments de pliage selon une technique japonaise sophistiquée. Il la regarda confectionner de délicats oiseaux de couleur.

— Ce genre de prouesse relève de la compétence d'étudiants aux Beaux-Arts en année terminale ! s'exclama-t-il en riant. Pour ma part, je retourne au niveau cours élémentaire.

Très vite, il réussit à découper de longues guirlandes, qu'il drapa artistement parmi les branches.

— Pas mal, commenta-t-il en admirant son œuvre. Pas mal du tout, même. Mais l'année prochaine, il faudra que nous...

Simon s'interrompit net, laissant sa phrase inachevée. Depuis quelque temps, il avait tendance à oublier que l'avenir se présentait encore sous la forme d'un immense point d'interrogation. Qu'est-ce qui lui permettait d'affirmer qu'il y aurait pour eux deux une « année prochaine » ? Un silence pesant tomba entre eux. D'un mouvement un peu trop vif, Juliet se baissa pour ramasser les quelques bouts de papier qui traînaient à terre. Elle ne voulait pas penser à tous ces Noëls à venir. Dans un an, à la même époque, elle serrerait peut-être son bébé dans ses bras. Mais pourquoi, tout à coup, cette perspective ne suffisait-elle plus à la combler ?

— Et si tu allumais un feu, Simon ? suggérat-elle d'un ton léger. Puisque Phil vient après le dîner, nous pourrions prendre un verre devant la cheminée. Je crois que je vais faire un cake, dès maintenant.

Comme elle reprenait ses préparatifs, la jeune femme retrouva très vite le sourire. Car pour l'instant, un seul Noël comptait vraiment : celui qu'ils s'apprêtaient à fêter. Et elle était bien décidée à ne pas le gâcher par des considérations trop sérieuses... .

11.

Depuis le début de la soirée, Eileen roulait sans but dans les rues de San Francisco. *Seule le soir de Noël...* Avec des chants de *Noël* sur toutes les stations de radio, des sapins de *Noël* derrière chaque vitre. Etait-elle donc la seule dans cette ville à n'avoir aucun endroit où aller? Aucune place qui serait la sienne? D'un geste, elle s'assura de la présence de la bouteille de vin sur le siège passager.

Ce fut sans intention précise que la jeune femme emprunta la direction de la plage. Chaque maison était brillamment éclairée et à travers les baies vitrées, elle apercevait au passage des tables chargées de victuailles, des enfants surexcités courant de-ci, de-là, des gens souriants, en famille, rassemblés.

Eileen se gara le long du trottoir en face du bungalow qui, l'année dernière encore, avait été le sien. Les rideaux n'étaient pas tirés. Elle coupa les phares et contempla le tableau qui s'offrait à ses yeux avec une fascination morbide. Michael, déjà en pyjama, était assis aux pieds de son père. Quelques secondes plus tard, Timmy surgit dans la pièce, traînant sa couverture derrière lui. Il grimpa sur les genoux de Philip. A l'arrière-plan, une femme les regardait en souriant. La fameuse Mme Campanelli, vraisemblablement. Pourquoi se trouvait-elle là la veille de Noël ? Philip s'apprêtait-il à sortir ?

Sans détacher un instant les yeux de la scène qui se déroulait devant elle, Eileen tendit la main vers la bouteille et détacha la capsule en plastique. Philip leur lisait une histoire à présent, le même conte de Noël qu'il lisait chaque année. Elle frissonna. La voiture était glacée, glacée comme sa solitude. Une nostalgie terrible la prit à la gorge. Elle aurait voulu être là, près d'eux, entendre la voix chaude et grave de son mari...

Il n'y avait plus de vin dans la bouteille lorsque Philip se leva pour partir. Il embrassa Michael et Timmy et les confia à Mme Campanelli. Une irrépressible bouffée de colère submergea Eileen. C'était à elle qu'il revenait de coucher les enfants, de les border dans leur lit en leur souhaitant une bonne nuit de Noël ! Pas à cette inconnue !

Les dents serrées, elle vit Philip enfiler son manteau et prendre ses clés. Quelques secondes plus tard, il dévalait les marches du porche. Les nerfs tendus à se rompre, Eileen attendit que la voiture de son mari ait disparu à l'angle de la rue. Alors, elle chercha dans son sac la clé qu'elle avait conservée en secret...

D'une démarche mal assurée, la jeune femme contourna la maison et s'approcha de la porte arrière. Il lui suffirait de renvoyer Mme Campanelli ; celle-ci, après tout, n'avait aucune raison de se méfier d'elle. Ensuite, il n'y aurait plus personne pour la séparer de ses enfants. D'une main tremblante, elle porta un bonbon à la menthe à sa bouche. Puis elle dégagea les épaules, arbora un sourire de commande sur son visage et, d'un pas décidé, franchit le seuil.

Hanté par une sensation de malaise inexplicable, Philip fit résonner le carillon de la maison victorienne. Si au moins Mme Campanelli l'avait prévenu plus tôt qu'elle désirait assister à la messe de minuit ! Il aurait pu demander à ses amis de passer chez lui pour boire le traditionnel *eggnog*, une boisson à base d'œufs, de crème, de sucre et de rhum. Mais il était trop tard, désormais. Il faudrait qu'il écourte sa visite.

— Joyeux Noël ! s'exclama Simon en ouvrant grand la porte.

Spontanément, Juliet lui sauta au cou.

— Viens vite voir notre sapin de Noël ! Nous venons juste de terminer la décoration.

Une pointe aiguë de jalousie déchira le cœur de Philip lorsqu'il pénétra dans la salle de séjour. Il régnait une atmosphère ici qui avait cessé depuis longtemps d'être perceptible chez lui. La musique, les flammes tremblantes des bougies, le feu dans la cheminée ; tout avait été orchestré avec amour. Simon et Juliet ne s'en rendaient peut-être pas encore compte eux-mêmes, mais au fil des jours, leur mariage avait cessé d'être un faux-semblant pour devenir authentique. Ils étaient amoureux et ce sentiment transparaissait sur leurs visages.

Philip prit une longue inspiration pour chasser le poids qui pesait sur sa poitrine.

— Il est magnifique, ce sapin! Vous avez tout fait vous-mêmes?

— Bien sûr! déclara Simon.

Il tendit un verre d'*eggnog* à son ami et lui désigna un siège à côté de la table basse où Juliet avait disposé un plat de gâteaux. En fait, il brûlait d'impatience de discuter avec Philip du tour nouveau qu'avait pris sa relation avec la jeune femme. Mais une telle révélation aurait été prématurée. Après tout, il n'en avait parlé à Juliet qu'à mots couverts et rien n'était « officiel » encore... Simon se contenta donc d'une question plus banale:

— Je suppose que Michael et Timmy sont déjà couchés?

— Probablement. Je n'ai pas manqué de les avertir que le père Noël ne passait que dans les maisons où les enfants étaient sagement endormis!

Un sourire lumineux éclaira le visage de Juliet.

— Ils doivent être terriblement excités, tous les deux! Nous avons préparé les cadeaux que tu as cachés chez nous. Et Simon a ajouté quelques jouets de notre part.

— Que Juliet a emballés elle-même, enchaîna Simon en serrant affectueusement la main de la jeune femme entre les siennes.

— Merci... Merci à vous deux.

Philip prit une gorgée de sa boisson. Pourquoi se sentait-il ainsi sur le qui-vive? Comme si sa présence ici était une erreur. Une erreur peut-être fatale...

Simon se leva pour mettre un autre disque.

— Eileen a-t-elle toujours l'intention de passer la journée de Noël avec vous?

— Normalement, oui. Timmy s'en réjouit, mais Michàel est plus réticent... Il a décrété aujourd'hui qu'il ne tient pas à ce qu'elle vienne si elle doit repartir le soir même, leur confia Philip sans parvenir à dissimuler sa préoccupation.

— Pauvre Michael... il est trop jeune pour comprendre, soupira Simon.

Soudain très las, Philip se passa la main devant les yeux.

— J'ai énormément réfléchi à tout cela, ces derniers temps. Et j'ai même envisagé de prier Eileen de nous accorder une seconde chance. Mais je me rends compte que ce ne sera pas possible. Son problème de boisson la rend invivable. Ce n'est tolérable ni pour les enfants ni pour moi.

Un silence lourd de tristesse tomba à la suite de cette confidence. N'importe quelle parole de consolation aurait sonné creux, songea Juliet. Par chance, Philip avait suffisamment les pieds sur terre pour ne pas tenter une réconciliation. Une rupture franche et totale, voilà ce qu'elle avait toujours préconisé dans des cas comme celui-ci.

— Encore un peu de *eggnog*? proposa Simon.

Philip se leva.

— Non merci. Il faut que je sois de retour à dix

heures et demie. Mme Campanelli désire assister à la messe de minuit.

Sans insister, Juliet et Simon l'aidèrent à charger les jouets dans le coffre de sa voiture. Philip leur fit des adieux rapides. Un pressentiment le poussait à rentrer chez lui. Lorsqu'il se gara devant sa maison, celle-ci était plongée dans l'obscurité. Il pesta tout bas. Pourquoi Mme Campanelli avait-elle éteint le sapin ?

Quatre à quatre, Philip gravit les marches du porche. Parvenu dans l'entrée, il appela doucement. Pas de Mme Campanelli ! Furieux, il consulta sa montre. Vingt-deux heures trente-huit. Il était en retard, mais tout de même ! Comment avait-elle pu laisser les enfants seuls ? Sur la pointe des pieds, il monta à l'étage et ouvrit une à une les deux chambres. En dépit de l'obscurité, il distingua les formes endormies sous leurs couvertures. Rassuré, il réprima un sourire. Tout allait bien. Un instant, il hésita à entrer pour les embrasser. Mais non... les enfants avaient le sommeil léger la veille de Noël. Ce serait dommage de les réveiller.

Philip alluma le sapin avant de disposer soigneusement ses achats sous les branches odorantes. Il recula d'un pas pour admirer le résultat et jeta un dernier regard à l'étoile qui scintillait au sommet de l'arbre. Eileen avait insisté pour l'acheter en dépit de son prix prohibitif. C'était un investissement pour l'éternité, avait-elle plaidé. « Les enfants de nos enfants en profiteront à leur tour... »

Un instant, il fut tenté de l'arracher et de la piétiner, de la réduire en morceaux, comme Eileen

236

l'avait fait pour sa vie. Les poings serrés, il monta se coucher et passa une nuit agitée, peuplée de cauchemars. Lorsqu'il se réveilla en sursaut, le lendemain matin, la première chose qui le frappa fut le silence. Un silence total, effrayant. Neuf heures, lut-il à son réveil. Alors que les enfants se levaient toujours à l'aube, le jour de Noël. Le scénario était immuable : ils risquaient un coup d'œil en bas puis venaient se précipiter en hurlant dans son lit pour annoncer que le père Noël était bel et bien venu.

Philip repoussa les draps d'un mouvement brusque et sans même prendre le temps d'enfiler une robe de chambre dévala en courant l'escalier. Les cadeaux étaient là, intacts. Fou d'angoisse, il se rua dans la chambre de Michael, tira la couverture et découvrit la masse informe d'un traversin.

— Michael ! hurla-t-il. Quelle est cette stupide plaisanterie ? Où es-tu ?

Pas de réponse. Avec une sensation d'horreur, il se précipita dans le fief de Timmy. Avant même d'avoir tapoté la literie, il sut.

— Mon Dieu, chuchota-t-il en tombant à genoux près du petit lit vide. Ils sont partis.

Mais où ? Pourquoi ? *Mme Campanelli* ! Peut-être les avait-elle emmenés avec elle ? espéra-t-il contre tout bon sens. D'une main fébrile, il composa le numéro, compta les sonneries.

— Madame Campanelli ? C'est Philip Gentry, annonça-t-il en s'efforçant de garder son calme.

— Joyeux Noël, monsieur Gentry ! A vous et aux enfants !

— Aux enfants, répéta-t-il d'une voix sans timbre ... Madame Campanelli, à quelle heure avez-vous quitté la maison, hier soir ?

— Dès que Mme Gentry est arrivée. Elle m'a appris qu'elle allait passer Noël avec vous... Quelque chose ne va pas, monsieur Gentry ?

Eileen... Il aurait dû s'en douter. Philip serra les poings. Si au moins il avait pu couvrir son interlocutrice d'insultes, l'accuser d'avoir fait preuve d'une inconscience criminelle ! Mais il refréna à temps son impulsion. Mme Campanelli ignorait tout de la situation. N'importe qui aurait agi ainsi à sa place...

— Mais non, tout va bien, madame Campanelli. Je suppose que ma femme a dû emmener les garçons pour une petite promenade matinale.

— Mon Dieu, monsieur Gentry, je...

Il l'interrompit aussitôt :

— Il n'y a pas lieu de s'inquiéter, je vous assure. Fêtez donc tranquillement votre Noël en famille.

Philip se hâta de raccrocher. S'il lui avait expliqué la situation, Mme Campanelli n'aurait pas manqué de se précipiter chez lui avec son mari, ses cinq filles et son lot habituel de bons conseils. Et c'était bien la dernière chose qu'il était capable de supporter à l'instant. Il se prit la tête entre les mains. Il fallait agir, pourtant. Appeler la police ? Mais à quoi bon ? Eileen était leur mère, elle avait le droit pour elle.

Etait-ce parce qu'elle avait prémédité son action que la jeune femme avait toujours refusé de lui révéler son adresse ? Eileen n'avait pas le téléphone non plus. Et il ne savait même pas où elle travaillait. L'horrible évidence s'imposa à lui : il ne lui restait rien d'autre à faire qu'à attendre...

Hagard, il contempla les jouets sous le sapin, le vélo dont Michael rêvait depuis des mois. Eileen allait-elle expliquer aux enfants que le père Noël avait oublié de passer ? Il essaya d'imaginer Michael et Timmy perdus dans une chambre étrangère mais la pensée lui fut insupportable. D'une démarche vacillante, il se dirigea vers le téléphone. S'il ne voulait pas perdre la raison, il fallait au moins qu'il partage son angoisse avec quelqu'un.

Enfin, Simon décrocha, marmonnant un allô ensommeillé.

— Simon ! Réveille-toi. Elle les a pris ! Eileen est partie avec les garçons.

— Quoi ?

D'un mouvement brusque, il se dressa sur son séant.

— Elle est venue hier soir et a renvoyé Mme Campanelli qui ne se doutait évidemment de rien. Je ne me suis aperçu de leur disparition que ce matin.

Simon jura à voix basse.

— Tiens bon, Philip. Nous arrivons immédiatement !

Pressentant une catastrophe, Juliet lui agrippa le bras.

— Que s'est-il passé, Simon ?

— Eileen a enlevé Michael et Timmy.

— Seigneur...

Déjà, Simon avait bondi hors du lit et enfilait un jean.

— A-t-il prévenu la police? s'enquit-elle en se levant à son tour.

— Je ne sais pas. Je lui ai simplement dit que nous venions.

— De toute façon, la police ne sera d'aucune aide, murmura-t-elle comme pour elle-même. Oh ! mon Dieu... je savais qu'Eileen allait très mal, mais je ne pensais pas qu'elle irait jusque-là.

— *Personne* ne pouvait prévoir une éventualité pareille.

Le cœur battant, Juliet s'empara des premiers vêtements qui lui tombaient sous la main. Saisissant son sac à main au passage, elle dévala l'escalier à la suite de Simon. Au cours du trajet jusqu'à la plage, les dernières paroles d'Eileen lui revinrent avec précision, comme si elles avaient continué à résonner tout ce temps dans un recoin caché de sa mémoire. « D'une manière ou d'une autre, je m'arrangerai pour reprendre mes enfants. Et rien ni personne ne pourra m'en empêcher, vous m'entendez? »

Que n'avait-elle accordé plus d'attention à ce qui lui avait semblé être de vaines menaces...

Etonné, Michael cligna des paupières. Où était-il? Timmy était près de lui, constata-t-il avec un certain soulagement mais il ne reconnaissait pas ce plafond craquelé. Serrant sous son menton la maigre couverture râpeuse, il souleva prudemment la tête. La chambre était sombre et même un peu sale. Et la fenêtre offrait pour unique perspective un long mur de brique. Non, décidément, cet endroit lui était inconnu.

240

A côté de lui, Timmy s'agita, émergeant lentement du sommeil.

— Est-ce que le père Noël est passé? s'enquit-il
d'une voix assoupie.

— Chut! Je ne sais pas, Timmy.

— Mais... ce n'est pas Noël aujourd'hui?

Le garçonnet ouvrit de grands yeux en regardant
autour de lui.

— Où sommes-nous?

Soudain conscient de ses responsabilités de
« grand frère », Michael trouva le courage de se
dresser sur son séant.

— Chez maman, je crois. Elle est venue hier
soir. Toi, tu ne t'en souviens pas, mon pauvre,
parce que tu dormais. Tu es trop petit.

Timmy porta son pouce à sa bouche.

— Je n'aime pas cet endroit, décréta-t-il.

Michael partageait son manque d'enthousiasme.
Et, en tant qu'aîné, il lui revenait de chercher une
solution.

— J'ai une idée! Nous allons téléphoner à papa!
Viens, Timmy.

Main dans la main, les deux frères se risquèrent
dans le couloir qu'ils longèrent sur la pointe des
pieds. Leurs explorations les menèrent dans une
cuisine minuscule. Pas de téléphone, ici. Mais il y
avait une porte au fond. Toujours pieds nus, ils
s'aventurèrent à l'air libre dans une minuscule log-
gia où deux poubelles pleines à ras bord déga-
geaient une odeur nauséabonde. Timmy frissonna.

— Nous ne pouvons pas téléphoner ici, Michael.

— Tu as raison. Rentrons.

Revenant sur leurs pas, ils laissèrent à leur droite la chambre où ils avaient dormi et approchèrent à pas de loup d'une porte entrouverte.

— Voilà maman, chuchota Timmy. Elle dort encore.

Plongée dans un sommeil comateux, Eileen reposait tout habillée sur un vieux canapé à fleurs.

— Chut! murmura Michael, les yeux rivés sur la bouteille vide sur la table basse.

Dans son cerveau d'enfant, cette vision était indissolublement liée aux accès inexplicables de mauvaise humeur de sa mère. « C'est parce que ta maman boit trop », lui avait expliqué papa un jour. Michael chercha un appareil téléphonique des yeux, mais là non plus, il n'y en avait pas. Il soupira : il n'y avait pas d'autre solution...

— Essaie de réveiller, maman, Timmy.

— Et si elle se met en colère?

Michael feignit l'étonnememt.

— Que tu es stupide! Pourquoi veux-tu qu'elle se mette en colère? Je te donnerai un de mes caramels.

— Deux! marchanda Timmy.

Comme son frère acquiesçait d'un signe de tête, le garçonnet avança une main hésitante. Il frôla l'épaule d'Eileen qui réagit par un grognement contrarié.

— Trois caramels! chuchota Michael.

L'appât du gain aidant, Timmy risqua une nouvelle tentative. Cette fois, Eileen souleva les paupières et fixa sur son fils un regard désorienté.

— Timmy! Que fais-tu ici?

La lèvre de l'enfant trembla.

— Mais... je croyais que c'était toi qui étais venue nous chercher, maman! s'écria-t-il d'un air égaré.

Eileen se frotta les tempes. Son mal de tête était lancinant. Mais ses bébés l'avaient enfin rejointe et ils allaient passer Noël ensemble, tous les trois. Elle se dressa péniblement sur un coude, en proie à une étrange confusion. Ils se tenaient là, tous les deux, pieds nus et frissonnant dans la pièce mal chauffée. Ils paraissaient aussi seuls et effrayés qu'elle. Et ils n'avaient plus du tout l'allure de « bébés », à la réflexion...

— C'est vrai, mon chéri, c'est moi qui suis venue vous chercher. Nous allons fêter Noël ici, chez votre maman.

Elle avait eu l'intention de leur parler de façon rassurante mais sa voix cassée et rauque du matin rendit un son étrange. Michael la scrutait sans rien dire, une expression méfiante sur ses traits. Eileen se leva lentement, en soutenant sa tête douloureuse.

— Je reviens tout de suite, les enfants, marmonna-t-elle en se dirigeant vers la salle de bains d'une démarche mal assurée.

Dès qu'elle eut refermé la porte sur elle, Timmy se tourna vers Michael, les yeux écarquillés de frayeur.

— Elle a dit que nous allions passer Noël ici! Mais ce n'est pas chez nous. Moi je veux rentrer à la maison, protesta-t-il, au bord des larmes.

Michael, quant à lui, réfléchissait. Si au moins, il y avait eu un moyen de contacter leur père...

— Ecoute, Timmy, tu auras tout le sac de caramels si tu lui demandes de nous reconduire. Allez, jure-moi que tu le feras!

Eileen surgit dans le couloir avant que Timmy puisse donner son accord. Elle les vit sursauter à son approche et son cœur se serra douloureusement..

— Vous devez avoir faim, mes chéris. Venez, j'ai du jus d'orange à la cuisine.

Les enfants la suivirent en traînant des pieds. Sans manquer un seul de ses gestes, ils virent leur mère prendre une carafe dans le réfrigérateur vide et leur servir à chacun un verre. Puis elle retira d'un placard une bouteille de vodka.

Les doigts crispés sur le goulot, Eileen se figea. Michael et Timmy se tenaient devant elle et leurs yeux écarquillés lui parurent soudain immenses, chargés de reproches. D'un geste nerveux, elle dévissa le bouchon. Juste un fond... La dose nécessaire pour calmer le tremblement de ses mains, lui redonner des idées claires.

Non, il ne faut pas! S'agrippant des deux mains au rebord de la cuisinière, la jeune femme leur tourna le dos. A combien de reprises déjà ne s'était-elle pas juré d'arrêter de boire? Mais cette fois-ci, c'était différent. Elle allait réussir car ce n'était pas pour elle qu'elle prenait cette décision, mais pour eux, ses enfants qu'elle aimait. Pour eux qu'elle ne voulait pas perdre.

Les dents serrées, Eileen retourna la bouteille au-dessus de l'évier et la vida jusqu'à la dernière goutte. Ce fut l'acte le plus décisif qu'elle ait jamais commis. Il y eut un long silence, puis la voix hésitante de Timmy :

— Maman ?

Avec un pâle sourire, Eileen se pencha vers lui. Ecarlate, le garçonnet se jeta à l'eau :

— Michael a dit que si je te demande de nous ramener à la maison, j'aurai tout son sac de caramels.

— Ce n'est pas vrai ! Tu mens ! protesta ce dernier en baissant le nez.

La jeune femme sentit sa confiance vaciller.

— Je suis votre mère, murmura-t-elle doucement. Et je vous aime. Ce serait bien de fêter Noël ensemble, vous ne pensez pas ?

Michael leva vers elle un regard empreint d'hostilité.

— Si tu désires tant être avec nous, pourquoi ne reviens-tu pas à la maison pour vivre avec nous comme avant ?

— Je... je ne peux pas. Pas pour le moment, Michael.

— Ce n'est pas juste ! Et si tu nous aimais vraiment tu ne nous aurais pas enlevés !

Il lui tourna le dos, ses frêles épaules raidies par la colère. Décontenancée, Eileen concentra son attention sur Timmy. Les joues du petit garçon étaient inondées de larmes.

— S'il te plaît, maman, ramène-nous chez papa, sanglota-t-il. Le père Noël n'est même pas passé ici et... et je veux rentrer chez moi !

— Mais j'espérais que...

Soudain consciente de l'inanité de ses explications, la jeune femme s'interrompit net. Dans quel rêve avait-elle donc vécu, jusqu'ici ? Ses fils n'étaient plus des bébés que l'on pouvait prendre et garder comme lorsqu'ils étaient petits. Qu'avait-elle à proposer à cet enfant en pleurs qui réclamait son père ? Et Michael... Elle posa une main hésitante sur sa tête mais il se dégagea d'un mouvement brusque. Elle aurait voulu le supplier de ne pas la haïr, lui assurer que tout cela n'était pas sa faute. Mais comment aurait-il pu comprendre ?

— Bien... puisque vous désirez repartir tous les deux, je vais vous raccompagner, leur promit-elle d'une voix lasse. Allons voir si, par hasard, le père Noël n'aurait pas fait un petit tour par la cheminée.

Le visage de Timmy s'illumina aussitôt, mais Michael ne fit pas un geste.

— Est-ce que tu resteras avec nous ? s'enquit-il d'un ton de défi.

Eileen hésita. Tel avait bien été son projet initial.

— Cela te ferait plaisir, Michael ?

Lorsqu'il fit volte-face, une lueur d'espoir éclairait ses traits enfantins.

— Je crois que oui, maman...

Eileen inspecta d'un œil soudain sévère ses vêtements froissés qu'elle n'avait pas quittés depuis la veille. Par chance, elle avait une robe encore intacte, qu'elle avait mise de côté avec soin, sous sa housse en plastique. Elle se ferait belle, comme avant. Mais d'abord, les cadeaux ! Du placard vide sous l'évier, elle sortit les deux paquets qu'elle avait emballés avec tant de soin. Elle leur en tendit un à chacun.

— Allez-y, vous pouvez les ouvrir, les exhorta-t-elle en souriant. C'est le père Noël qui me les a confiés!

Le visage tendu, Eileen observa leurs réactions. Avait-elle bien choisi? Elle avait éprouvé une telle joie lorsqu'elle était entrée dans le magasin de jouets, un jour où elle avait reçu plus de pourboires qu'à l'accoutumée! Mais maintenant, elle n'était même plus certaine que les jeux seraient conformes à leurs goûts. Elle savait si peu de chose d'eux, en définitive...

De ses petits doigts impatients, Timmy déchira sans scrupule le joli papier brillant. Perplexe, il saisit la boîte en métal peinte de couleurs vives. Mais il eut tôt fait de trouver la poignée sur le côté. Aussitôt les notes d'une chanson enfantine s'élevèrent, de plus en plus vite, à mesure qu'il tournait la manivelle. Et soudain le couvercle se souleva et un clown souriant se déplia avec fracas!

— Oups! cria Timmy en bondissant en arrière.

Même Michael se laissa aller à sourire.

— Laisse-moi essayer, Timmy!

— Ah non! Occupe-toi de tes affaires.

Vexé, Michael tira sur le ruban qu'il avait patiemment dénoué et découvrit dans un carton un fort miniature et un sac rempli de soldats, d'Indiens, de chevaux. Une lueur comme Eileen n'en avait plus vu depuis longtemps dansa dans ses prunelles.

— Hé! c'est génial! Je n'en ai jamais eu des comme ça.

Ils étaient contents, enfin! Sans même chercher à

réprimer ses larmes, Eileen les entoura tous les deux de ses bras.

— Joyeux Noël, mes enfants!

Simultanément, ils levèrent les yeux vers elle et Timmy abandonna un instant sa tête sur son épaule.

— Joyeux Noël, maman, fit Michael sans chercher à se dégager.

Une vague de bonheur la submergea, chassant la sensation de vide qui l'avait hantée toute une année. Il y avait si longtemps qu'elle attendait ce moment!

— Dites-moi, mes chéris, est-ce que vous me promettez de partager vos jouets sans vous disputer pendant que je me prépare?

Les deux frères échangèrent un regard belliqueux avant de s'engager à rester sages comme des images. Eileen fredonna à mi-voix en prenant sa douche. Elle brossa ses cheveux blonds jusqu'à ce qu'ils brillent. Sa robe verte flottait un peu au niveau de la taille, mais en serrant la ceinture, cela pouvait passer inaperçu, estima-t-elle en jetant un coup d'œil critique au miroir. Pour la première fois depuis une éternité, elle regretta d'avoir renoncé au maquillage comme au parfum.

— Tu es belle, maman, s'exclama Michael lorsqu'elle revint dans la cuisine.

— Oui, très jolie, renchérit Timmy.

Ces exclamations spontanées lui donnèrent un regain de courage. Tout n'était peut-être pas perdu, finalement? Pour la première fois depuis un an, Eileen se sentait presque attirante, normale de

248

nouveau. Avec un sentiment de triomphe, elle pensa à la bouteille de vodka.

— Et si vous rangiez les soldats dans le fort? proposa-t-elle. Nous allons...

La jeune femme hésita un instant, puis compléta simplement:

— Nous rentrons chez nous.

Pieds nus et enroulés dans une couverture, les enfants la suivirent jusqu'à la voiture. Comment avait-elle pu oublier de prévoir des vêtements et des chaussures? Eileen secoua la tête. Elle avait agi sans réfléchir. Pendant toute une année, elle avait vécu comme un automate dépourvu de toute faculté de penser. Mais ces temps-là étaient révolus, désormais. La jeune femme fit monter les garçons à l'arrière et s'engagea dans la rue déserte.

— Crois-tu vraiment que le père Noël sera passé à la maison? s'inquiéta Timmy.

— Nous allons le savoir bientôt, mon chéri.

— Maman, mon soldat a disparu sous le siège! gémit Michael.

Eileen jeta un rapide coup d'œil par-dessus son épaule.

— Je t'aiderai à le chercher dès que nous serons arrêtés, Mi...

— MAMAN! hurla Timmy.

Lorsqu'elle concentra de nouveau son attention sur la route, la peur paralysa un instant son cerveau. Du haut de la colline, un énorme camion descendait en marche arrière à une allure vertigineuse. Et il arrivait droit sur eux...

— Arrête-toi! reprit Timmy d'une voix stridente.

Avec un sang-froid dont elle ne se serait pas crue capable, Eileen enfonça la pédale de frein et tourna à fond le volant vers la gauche. Trop tard. Comme dans une scène tournée au ralenti, elle vit le poids lourd grossir, grossir, jusqu'à occuper tout l'espace. Le choc fut terrible. La voiture se souleva, tourbillonna comme un fétu de paille. Il y eut un cri affreux. Puis plus rien...

12.

Il y eut d'abord des sons étouffés, lointains et des odeurs entêtantes, aseptisées. Et puis soudain, sa voix à lui.

— Eileen? Eileen, tu m'entends?

Elle l'entendait, oui, mais à une telle distance! Un instant, la jeune femme fut tentée de sombrer de nouveau dans l'oubli pour échapper à la douleur lancinante qui lui martelait les tempes. Mais Philip l'appelait. Elle se devait de répondre.

— Oui? chuchota-t-elle à grand-peine.

Eileen crut que sa tête allait exploser lorsqu'elle se tourna légèrement et ouvrit les yeux. Une image très floue de Philip se dessina au-dessus d'elle.

— Eileen, comment te sens-tu?

— Je... je ne sais pas. Où suis-je?

En l'espace d'une fraction de seconde, le souvenir de l'accident s'imposa à sa conscience. Une peur atroce lui glaça le sang.

— Les garçons, Philip. Est-ce qu'ils sont...?

Il lui prit la main.

— Ils vont bien, Eileen. Timmy a juste un bras cassé et une éraflure sur le front. Et Michael s'en est tiré avec une simple bosse. C'est un miracle.

— Dieu soit loué...

Elle leva vers lui des yeux noyés de larmes.

— Je ne voulais pas leur faire de mal, Philip. Je n'avais rien bu, pas une goutte. Je...

— Chut... je sais. Ce n'était pas ta faute. Cet imbécile de chauffeur de camion avait oublié de serrer les freins. Tu as eu les bons réflexes, Eileen. En virant à gauche ainsi, tu as sauvé leurs vies... et la tienne, grâce au ciel.

Assaillie par des visions terrifiantes, la jeune femme baissa les paupières. Ses enfants... ses enfants avaient failli mourir.

— Oh ! Philip, sanglota-t-elle. Je suis coupable ! Il s'en est fallu de si peu que je prenne un verre ce matin. J'aurais pu les tuer. Et je n'avais pas non plus le droit de les enlever en pleine nuit. C'était cruel et stupide. Mais j'avais sombré de nouveau, Philip. Je m'étais abstenue d'alcool pendant des semaines et puis, avec l'approche de Noël, je me suis sentie tellement seule et...

Il détendit doucement ses doigts crispés.

— Eileen... pourquoi ces explications, maintenant ? Nous aurons tout le temps d'en discuter plus tard.

Mais Eileen ne pouvait plus se taire. Elle avait la sensation de se réveiller d'un long cauchemar. Jamais auparavant elle n'avait éprouvé une telle nécessité de parler, d'exorciser les démons de cette longue année d'errances et de solitude.

— Non Philip, j'ai besoin que tu m'écoutes, protesta-t-elle d'une voix étranglée. Tu vois, j'ai perdu tout ce qui comptait dans ma vie. Tu ne t'intéressais plus à moi, rien de ce que je faisais ne suscitait ton approbation. Et puis il y a eu la naissance de Timmy. C'était trop pour moi ; je n'en pouvais plus, Philip. Je... je suis partie en pensant que tu t'apercevrais enfin que j'étais importante et indispensable, mais... mais c'est le contraire qui est arrivé et...

— Eileen... c'est faux, tu *étais* importante et indispensable. Pour moi, comme pour les enfants. Nous pensions que c'était toi qui ne voulais plus de nous.

La jeune femme se tenait parfaitement immobile désormais, vidée de ses larmes.

— Dans un sens, c'était vrai, chuchota-t-elle. Et à présent, les rôles sont inversés ; c'est toi qui ne veux plus de moi.

Philip demeura silencieux, aux prises avec un tourbillon de désirs contradictoires. Comment lui proposer de revenir alors qu'il ne savait pas ce qui restait de l'Eileen qu'il avait aimée chez cette femme nouvelle, cette étrangère ?

— Je pensais avoir maîtrisé mon problème de boisson, poursuivit-elle avec peine. Mais je... je crois que je n'y parviendrai pas toute seule. J'ai besoin d'aide, Phil.

Les paroles mêmes qu'il brûlait d'entendre depuis si longtemps. Arrivaient-elles trop tard ou était-il encore temps ? Indécis, Philip lui reprit la main.

— Des années de disputes, de cris, d'incompréhension nous opposent, Eileen.

Elle leva vers lui un regard qui, au-delà des mots, cherchait à comprendre.

— Oui, c'est un passif très lourd que nous avons derrière nous, murmura-t-elle.

— Et néammoins, tout n'est pas mort, Eileen! Il reste entre nous une flamme qui a résisté à toutes les tempêtes.

Abîmé dans ses doutes, Philip se tourna vers la fenêtre où un pâle soleil hivernal amorçait sa chute sur l'horizon nappé de brume. Lorsqu'il reprit de nouveau la parole, sa voix avait perdu ses inflexions tourmentées:

— Pourquoi renoncer avant même d'avoir essayé, Eileen? Viens te reposer quelque temps à la maison en sortant de l'hôpital. Après, nous verrons. Je crois qu'il nous faut rester très modestes, avancer à petits pas...

Tout n'était donc pas gâché d'avance... Gagnée par une sérénité nouvelle, la jeune femme ferma les yeux.

— Oui, essayons, Philip, murmura-t-elle.

Presque sans transition, elle glissa dans un sommeil paisible. Profondément ému, Philip se pencha sur son visage lisse et détendu. Son cœur bondit dans sa poitrine lorsque, l'espace d'un instant, il reconnut en elle l'Eileen d'avant... D'une démarche confiante, il quitta la chambre. Juliet, Simon et Michael devaient attendre des nouvelles avec impatience.

A son approche, Juliet se leva d'un bond, une lueur inquiète dans ses yeux verts.

— Tout va bien, mes enfants, annonça-t-il avec un sourire. Elle dort.

254

— Pourra-t-elle sortir bientôt ? s'enquit la jeune femme.

— Dans deux ou trois jours... Je lui ai proposé de venir passer quelques semaines à la maison pour se remettre.

Juliet fronça les sourcils.

— Oh, Philip ! Est-ce vraiment raisonnable ?

Elle regretta aussitôt d'avoir laissé échapper cette exclamation. Rien ne justifiait cette ingérence dans les problèmes de la famille Gentry. Mais elle redoutait tant un nouvel échec ! Philip lui jeta un regard perçant.

— Dans la vie, il y a parfois d'autres priorités que la raison, Juliet, observa-t-il calmement. Simon, cela t'ennuierait-il de m'accompagner au bureau des entrées pour régler quelques formalités ? Michael, reste ici avec Juliet, veux-tu ? Nous n'en avons pas pour très longtemps.

Songeuse, la jeune femme caressa la tête de l'enfant. Il était très pâle, tout à coup, constata-t-elle avec inquiétude. Sur le cahier que l'infirmière lui avait donné, il avait dessiné une voiture, puis un énorme camion dessus.

— C'est ainsi que l'accident s'est passé, Michael ?

Lorsqu'il releva la tête, Juliet vit distinctement la peur qui se reflétait dans ses yeux.

— Je ne sais pas, murmura-t-il. Ça s'est déroulé si vite.

Elle le sentit trembler de tous ses membres comme il se réfugiait sur ses genoux. Pauvre enfant ! Que de chocs consécutifs en ces quelques heures. Elle le serra doucement contre elle.

— L'important, c'est que vous soyez tous sains et saufs, Michael. Et vous allez bientôt rentrer chez vous.

— Papa et moi, seulement.

— Timmy vous rejoindra dans quelques jours. Vous serez de nouveau tous ensemble.

Michael se raidit.

— Ce n'est pas vrai! Pas tous ensemble.

— Tu penses à ta mamam, n'est-ce pas? Qu'en dirais-tu si elle venait s'installer quelque temps chez vous?

— Moi, je suis sûr qu'elle ne viendra pas, elle n'est jamais là, de toute façon. Et même si c'était vrai, elle finira par repartir, cria-t-il avec amertume. C'est injuste!

Incapable de prononcer un mot, Juliet pressa contre elle son petit corps secoué de sanglots. Face à la douleur de cet enfant déchiré, une terreur ancienne resurgit en elle avec une force aveuglante. La jeune femme ferma les yeux, aux prises avec ses souvenirs. Des réminiscences des nuits interminables passées à attendre le retour de son père la submergèrent; ce père qui plus jamais n'avait donné signe de vie. Non, on n'avait pas le droit de faire souffrir ainsi un être sans défense! Il fallait se prémunir contre le sort, ne pas se lancer dans des paris perdus d'avance. Si elle devait mettre un bébé au monde, celui-ci naîtrait à l'abri de ces contingences, se jura-t-elle. Forte de cette résolution, Juliet ouvrit enfin les paupières. Aujourd'hui même, elle parlerait à Simon…

En rentrant de l'hôpital, ce soir-là, le premier geste de Simon fut d'allumer un feu dans la cheminée du salon. Juliet était si pâle et taciturne depuis la nouvelle de l'accident. La chaleur, le crépitement des flammes et un bon verre d'*eggnog* l'aideraient à se détendre.

— Viens donc t'asseoir, Juliet.

Mais elle ne bougea pas, continuant à le regarder sans rien dire. Il s'approcha et embrassa doucement le creux derrière son oreille. Juliet frémit. Déjà les premières ondes de désir la parcouraient, lui rappelant cruellement l'intensité du lien qui les unissait. Mais sa décision était prise ; il n'était plus question de faire machine arrière. Elle se dégagea avec brusquerie.

— Il faut que je te parle, Simon, annonça-t-elle d'une voix blanche. Pas ici. A la cuisine.

— Mais pourquoi ? Il fait bon près du feu, et nous pourrons regarder le sapin. C'est Noël, malgré tout.

— Non, je t'en prie. Je préfère discuter là-bas.

Perplexe, il la suivit. Assise très droite sur sa chaise, la jeune femme se mit à parler très vite, comme si elle récitait un texte appris par cœur :

— Ce qui s'est passé entre nous ne correspond pas du tout à ce qui était prévu, Simon. Notre mariage devait être de convenance, un arrangement qui nous rendrait mutuellement service. Nous nous sommes écartés des termes de notre pacte.

Elle se tut, espérant qu'il prendrait la parole, qu'il l'aiderait à analyser ce qui était survenu entre eux. Mais Simon garda le silence. Juliet se mordit la lèvre.

257

— Ce que je m'efforce de t'expliquer, Simon, c'est que je ne peux plus vivre avec toi, trancha-t-elle abruptement. Il est temps de déclencher la procédure de divorce.

Incrédule, il la contempla fixement. Qu'est-ce qui avait pu provoquer un changement aussi radical en l'espace d'une nuit ? Alors même qu'il s'apprêtait à lui proposer de reconduire à l'infini leur contrat de six mois ?

— Je t'en prie, cesse de me regarder ainsi ! l'exhorta-t-elle, mal à l'aise. Dis quelque chose, n'importe quoi !

— On resterait sans voix pour moins que cela… Tu n'es donc pas heureuse, Juliet ?

La jeune femme tourna nerveusement entre ses doigts le verre d'*eggnog* qu'il avait posé devant elle.

— La question n'est pas là. Ce qui doit primer, ce sont nos projets, ce que nous attendons de l'avenir. Or, ce qui se passe entre nous maintenant, je ne l'avais ni prévu ni voulu !

Elle lui jeta un regard implorant.

— Essaie de comprendre, Simon. Moi aussi, j'aimerais me bercer d'illusions, croire que pour nous ce sera différent ! Mais prends Philip et Eileen, par exemple. Tu m'as dit toi-même qu'au début, ils offraient l'image d'un couple idéal et maintenant…

— Juliet ! l'interrompit-il, sidéré. *Nous ne sommes pas Philip et Eileen, que diable !* Tu ne vas tout de même pas prétendre que nous sommes condamnés à l'échec parce que nos amis ont connu des problèmes ! Sans compter que rien n'est perdu

258

pour eux non plus. Eileen va retourner là-bas au moins quelque temps.

— Je suis au courant. Mais il y a neuf chances sur dix pour que cette solution tourne au drame. Qu'adviendra-t-il s'ils recommencent à se disputer comme avant? J'ai parlé avec Michael tout à l'heure. Il m'a dit lui-même qu'il préférait ne pas revoir sa mère plutôt que d'avoir à supporter une nouvelle séparation. Et puis il s'est mis à pleurer... il s'est blotti sur mes genoux, et il a sangloté, Simon. Un enfant de sept ans. Peux-tu imaginer quel enfer il a dû vivre?

Simon demeura longtemps sans répondre. Qu'avait-il à opposer à ses arguments? Car ce n'étaient pas ses sentiments pour lui qui étaient en jeu, il en était certain désormais. Face à la réaction de Michael, les craintes profondément ancrées de la jeune femme avaient repris le dessus. Et comment lutter contre quelque chose d'aussi peu tangible, d'aussi irrationnel que la peur? Il soupira.

— Tu es libre de tes choix, Juliet. Je ne te demanderai qu'une seule faveur: ne tranche pas définitivement aujourd'hui. Accorde-nous au moins un temps de réflexion. Tu as été très marquée par cet accident et la réaction de Michael et...

Elle secoua vigoureusement la tête. C'était précisément ce qu'elle s'était juré de ne pas accepter. La rupture devait être nette, sans appel.

— Je ne peux plus demeurer ici avec toi, Simon. Pour ce qui est de la maison, vendons-la telle qu'elle est. Je ne pense pas que nous perdrons d'argent.

Il prit sa main entre les siennes.

— Peu importe la maison! Et je ne te demande pas non plus de rester avec moi. Installe-toi quelques jours dans mon bungalow, par exemple.

— A quoi bon? Je ne changerai pas d'avis, Simon.

— Peut-être pas, non. Mais tu ne peux pas tirer un trait définitif sur ces quelques mois où nous avons vécu ensemble, comme s'ils n'avaient jamais existé. Il faut être juste, Juliet. Je veux bien comprendre que tu aies du mal à accepter ce qui s'est passé entre nous mais tu n'as pas le droit pour autant de tout nier en bloc! Rends-toi à la maison de la plage. Je te promets de te laisser tranquille. Donne-toi du temps, réfléchis.

La jeune femme leva vers lui un regard indécis. Sa proposition paraissait raisonnable. En rompant avec Simon, c'était tout son avenir qu'elle remettait en question. Plus de bébé, du moins à court terme. Et les multiples projets jamais bien définis qui incluaient le jeune homme tombaient aussi à l'eau pour toujours. Il lui faudrait reconsidérer toutes ses options...

— Ce n'est peut-être pas une mauvaise idée, tout compte fait, remarqua-t-elle.

L'ombre d'un sourire joua sur les lèvres de Simon.

— Merci, Juliet.

— Attention! J'accepte de m'installer quelques jours dans le bungalow, c'est tout.

— Je ne t'en demande pas plus...

Il savait que la probabilité d'un revirement était

faible. Mais cette solution lui laissait au moins une lueur d'espoir.

— Avant que tu partes, il y a encore une chose que je tiens à te dire, Juliet. Je pense que tu le sais au fond de ton cœur, mais ce sont des mots que je n'ai encore jamais prononcés.

Elle baissa les yeux, pleine d'appréhension pour ce qui allait suivre. Simon marqua une pause avant d'enchaîner avec force :

— Je t'aime, Juliet, comme je n'imaginais pas qu'il était possible d'aimer.

— S'il te plaît, non ! protesta-t-elle dans un cri. Pourquoi nous faire souffrir inutilement ?

Impavide, il laissa son regard rivé dans le sien.

— Je veux simplement que tu saches. Tu agiras selon ce que ton cœur te dicte, mais je ne te laisserai pas te dérober devant la vérité.

— Je ne fuis pas, mais je refuse de l'entendre ! se défendit-elle d'une voix suraiguë.

— C'est vrai. Tu te refuses à l'entendre, car tu n'as pas une boule de cristal qui te livrerait un avenir tracé d'avance. Mais les boules de cristal sont un leurre, Juliet. La vie n'offre ni assurance ni garantie. C'est ainsi.

Brisée, la jeune femme enfouit sa tête dans ses mains.

— Je t'en prie, Simon, non, plaida-t-elle, éperdue. Je ne peux pas. Laisse-moi tranquille, s'il te plaît...

Un instant, Simon hésita à la prendre dans ses bras. Mais il ne pouvait rien pour elle et il le savait. C'était à elle d'exorciser les démons du passé, de surmonter ses craintes. Personne ne pourrait le faire à sa place, surtout pas lui. L'attente... voilà ce qui lui incombait.

— Te laisser tranquille? Si tu le désires. De toute façon, je m'y étais engagé.

Juliet entendit le raclement de la chaise contre le carrelage, puis le bruit décroissant de ses pas. Quelques secondes plus tard, la porte d'entrée fut ouverte puis refermée, calmement, sans fracas. Un silence de plomb tomba dans la maison vide. Lentement, Juliet releva la tête. Elle était seule...

La semaine après Noël fut ensoleillée et tiède, un temps parfait pour passer quelques jours à la plage. Mais Juliet n'avait aucune envie de plage, ni de mer ni de soleil. Elle était venue pour réfléchir, certes, mais à quoi? Sa décision était irrévocable. Quoi qu'il en soit, elle tiendrait sa promesse. De toute façon, la perspective de réintégrer son appartement lui était insupportable. Et elle ne voulait pas retourner travailler non plus. Sa vie entière lui apparaissait désormais comme une voie sans issue...

Ses deux premières journées furent mornes et paisibles; Juliet paressa, le cœur et le cerveau étrangement engourdis. Lorsque le réveil sonna, le troisième matin, elle gémit, se boucha les oreilles et se rendormit aussitôt. Le soleil était déjà haut dans le ciel quand elle émergea de nouveau du sommeil. Encore à demi assoupie, elle tâtonna à côté d'elle, chercha Simon. Mais elle ne rencontra que le vide. Les yeux soudain grands ouverts, Juliet se dressa sur son séant. Il n'était pas là, n'y serait jamais plus! Cette absence définitive paraissait à peine concevable!

La jeune femme enfila un jean et un vieux sweat-shirt et se dirigea comme une somnambule vers la cuisine. Elle but son café à petites gorgées, laissant son regard errer dans la pièce. Brusquement, tout lui rappelait Simon. Ses chaussures de sport trouées près de la porte, son ciré, son chapeau de pêche. Et même la cafetière...

Contrariée, Juliet porta son plateau dans la vaste salle de séjour et s'assit en tailleur face à la grande baie vitrée. Mais, très vite, le simple mouvement des vagues déclencha à son tour un raz de marée de souvenirs. C'en était trop! Résignée à prendre la fuite, la jeune femme saisit une veste de Simon sur le porte manteau et partit pour une longue promenade sur la plage.

De la terrasse devant la maison de Philip, Simon suivait des yeux la silhouette solitaire. Elle l'avait aperçu, avait hésité, puis avait poursuivi son chemin. Exactement comme il s'y attendait. Il régla ses jumelles et la vit marcher à pas lents, comme si un lourd fardeau pesait sur ses épaules.

La nuit après Noël, il l'avait passée à l'hôtel, sans réussir à fermer l'œil. Dès l'aube, le lendemain, il était revenu à la maison, espérant sans oser se l'avouer qu'elle aurait changé d'avis. Mais il n'avait trouvé personne. Juliet avait laissé la plupart de ses vêtements, néammoins, avait-il constaté, vaguement rassuré. Il ne manquait que ses affaires de toilette et le peignoir rose pâle qu'elle accrochait toujours dans la salle de bains.

Simon sursauta lorsque Philip vint s'accouder près de lui à la rambarde de bois.

— As-tu eu des nouvelles de Juliet ? s'enquit-il en posant un instant sa main sur son épaule.

— Pas encore. Mais je suppose que cela n'a rien d'étonnant.

— Ce n'est pas simple de la savoir si près et de demeurer dans l'incertitude, n'est-ce pas ?

Se détournant d'un mouvement brusque, Simon arpenta la terrasse.

— J'ai peut-être tout perdu d'un seul coup, Philip : Juliet, les *Etablissements Talcott*, tout ce à quoi je tiens...

Il enfonça les poings dans ses poches. Les chances pour que Juliet lui revienne diminuaient d'heure en heure. Si elle avait dû changer d'avis, le revirement aurait eu lieu au cours des premières vingt-quatre heures, lui semblait-il. Mais maintenant...

— Ah, à propos de ton entreprise, Simon, j'ai beaucoup réfléchi et je crois tenir un élément de solution, cette fois.

Simon ne réagit même pas. Pour le moment, l'avenir de sa société était le cadet de ses soucis. Mais Philip ne se laissa pas décourager.

— Les brevets des jouets et de la nouvelle gamme de meubles sont enregistrés à ton nom, je ne me trompe pas ?

— C'est le cas, en effet. Je m'apprêtais à les transférer mais...

— Réfléchis, Simon ! Si c'est toi qui détiens les brevets, que sont les *Etablissements Talcott* ? Un nom, une coquille vide, rien de plus. En fait, il ne peut rien t'arriver !

— Ah… je suppose que tu as raison. Je n'y avais pas pensé, marmonna Simon distraitement.

Interloqué, Philip se croisa les bras sur la poitrine.

— Je m'attendais à un peu plus d'enthousiasme de ta part ! Je viens de résoudre un problème qui te torture depuis deux ans et c'est tout ce que tu trouves à me dire ?

Simon cessa enfin de faire les cent pas pour se tourner vers son ami.

— Je suis désolé, Philip. Je te remercie de t'être donné tant de peine. Mais j'avoue que ma tête est ailleurs. J'ai changé, tu sais. Pour moi, rien ne compte plus, sauf…

Il hésita avant d'admettre d'une voix lasse :

— Il est vrai que tu m'as averti dès le début, et que je me suis contenté d'en rire. J'aurai été prévenu… Mais je l'aime, Philip. Je l'aime vraiment. Il n'y a plus qu'une chose qui m'importe : qu'elle revienne.

Philip ferma un instant les yeux. Etre abandonné par l'être cher… c'était une souffrance qu'il connaissait bien.

— C'est à ne rien y comprendre, Simon. Il suffit de vous voir ensemble cinq minutes pour savoir qu'elle tient à toi !

— Son père a quitté sa mère lorsqu'elle avait dix ans, tu sais. Ce qu'elle voudrait, c'est l'assurance que son mariage à elle durera toujours. Mais c'est un domaine où ce genre de certitude n'existe pas, hélas.

Philip haussa les épaules.

— C'est vrai. Il n'y pas de certitude. Et pourtant...

En prononçant ces mots, il tenait les yeux rivés sur Eileen qui remontait de la plage, tirée par Michael et Timmy. Essoufflée, la jeune femme se laissa tomber sur une marche.

— Mon Dieu, je suis hors d'haleine! s'exclamat-elle en riant. Le docteur n'avait peut-être pas tort lorsqu'il m'a conseillé de rester allongée!

— Pourquoi n'irais-tu pas faire une sieste? suggéra Philip avec sollicitude. Tu as tout le temps avant le dîner.

— C'est une bonne idée, en effet.

Eileen disparut à l'intérieur et Michael et Timmy suivirent comme un seul homme, se désintéressant même de leur grand ami Simon!

— A-t-elle bu depuis son retour, Philip?

— Pas une goutte, jusqu'ici. J'ai jeté toutes les provisions d'alcool... Les enfants se sont mis en tête qu'elle doit absolument rester.

— Et toi, Philip?

Il hésita.

— Nous en avons longuement discuté. C'est une décision qui n'est pas simple à prendre, tu sais. Parfois, je retrouve en elle la femme que j'ai aimée, parfois non. C'est un peu comme s'il fallait tout recommencer du début. Un long chemin à parcourir, en définitive.

— Et encore?

— Eh bien... j'ose à peine le dire tout haut, mais je crois que oui, Simon. Cette fois, je désire vraiment qu'elle reste...

266

13.

L'œil morne, Juliet contemplait fixement le café qui refroidissait dans sa tasse. Quoi de plus pesant que la perspective de cette quatrième journée de solitude ? Elle n'avait envie de rien. Ni de rester, ni de partir, ni de travailler, ni de réfléchir. Alors elle s'attardait là, à la table de cuisine, à écouter le cri rauque des mouettes se disputant le produit de leur pêche matinale.

Brusquement, la jeune femme écarquilla les yeux. Elle était assise face à la fenêtre et une silhouette familière venait de traverser son champ de vision. Intriguée, elle courut se poster dans le séjour et vit la promeneuse matinale contourner la maison. Cette longue blouse de peintre, cette toison flamboyante... Pas de doute, c'était Christie ! Sourcils froncés, Juliet la regarda s'installer au creux d'une dune, son carnet d'esquisses à la main.

Ainsi, Simon lui avait parlé. Il fallait qu'elle ait eu vent du problème pour avoir fait tout le trajet de Sausalito à sept heures du matin ! Agacée, la jeune femme sortit par la porte de derrière. Une explication franche avec Christie était bien la dernière chose à laquelle elle aspirait...

Sa mère lui fit un joyeux signe de main à son approche.

— Déjà debout, Juliet? J'avais peur de te réveiller en arrivant si tôt. Alors j'ai décidé de profiter de l'attente pour capter sur papier un peu de ce paysage matinal.

— Et c'est bien sûr dans le seul but de dessiner que tu es venue ici? ironisa la jeune femme.

— Pas exclusivement, non... Pourquoi ne t'assiérais-tu pas?

A contrecœur, Juliet s'installa face à l'océan, la joue posée sur ses genoux repliés. Elle s'enferma dans un silence buté que Christie ne chercha pas à rompre. Comme lorsqu'elle était enfant, elle se laissait bercer par le grincement léger du fusain sur le papier tandis que les vagues à ses pieds s'effondraient et refluaient en un va-et-vient monotone.

Juliet n'aurait su dire combien de temps elle était restée ainsi en contemplation lorsque Christie lui effleura l'épaule.

— Juliet? j'aimerais que tu jettes un coup d'œil à mon esquisse.

Sa curiosité éveillée, la jeune femme accepta le carnet. Il était rare que sa mère accepte de montrer une œuvre inachevée.

— Mais c'est moi que tu as représentée!

— C'est exact.

Avec un vif déplaisir, Juliet scruta la silhouette un peu voûtée, les yeux vides rivés sur l'océan.

— Elle ne me plaît pas, murmura-t-elle en lui rendant le cahier.

— Je m'attendais à cette réaction. L'art n'est pas toujours beau, pourtant... et la vie non plus.

— Oh, pas de sermon, par pitié! N'oublie pas quel métier j'exerce. Nul n'est mieux placé que moi pour connaître les aspects les plus sombres de l'existence.

— Au point de ne plus rien voir d'autre, peut-être...

— Qu'essaies-tu d'insinuer, au juste? Que j'ai cherché délibérément l'échec? Ecoute-moi, Christie, si tu avais eu l'occasion comme moi de discuter avec tous ces gens qui ont commencé le cœur rempli d'espoir...

— Des gens comme toi?

— Non pas comme moi, justement! J'ai choisi le mariage de façon lucide et dans un but bien déterminé.

— C'est-à-dire?

Elle tourna vers sa mère un regard scrutateur.

— Qu'est-ce que Simon t'a révélé, au juste?

— Rien. J'ai téléphoné chez vous pour t'annoncer que j'étais revenue de vacances et il m'a appris de façon très laconique que tu étais partie passer quelques jours ici. Après trois mois de mariage, cette séparation m'a paru... suspecte.

Juliet demeura sceptique.

— C'est tout ce que Simon t'a dit?

— Absolument. Mais s'il y a des « révélations » que Simon a omis de me faire, tu pourrais peut-être t'en charger...

La jeune femme baissa le nez. Saisissant un coquillage, elle griffa le sable de longs traits irréguliers.

— Je... je crois que j'ai provoqué un monstrueux gâchis, maman, admit-elle d'une toute petite voix.

Juliet sentit la main de sa mère se refermer sur la sienne.

— Tout le monde commet parfois des erreurs, ma chérie. Est-ce donc si grave ?

— Je ne sais pas... Mon projet se tenait pourtant bien, murmura-t-elle, comme pour elle-même. Si au moins Simon n'avait pas tant insisté pour que je me résolve à ce mariage.

— Tu ne crois pas que ce serait plus simple de tout me raconter, depuis le début, Juliet ?

Lentement, d'une voix monocorde, la jeune femme relata son histoire : l'annonce dans le *Bay City Magazine*, la contre-proposition de Simon, puis la maison, achetée sur un coup de tête.

— ... et finalement, cela a été une erreur pour lui comme pour moi, résuma-t-elle avec un soupir.

Longtemps, Christie continua à dessiner en silence. Juliet se tut sachant que c'était une façon pour sa mère de canaliser ses émotions.

— Je n'ai pas l'impression que tu aies vraiment fait face à ton problème, Juliet, commenta-t-elle finalement. Es-tu malheureuse de ne pas être enceinte ?

— Non. Je ne suis même plus certaine de vouloir ce bébé à tout prix... Je ne suis plus certaine de rien, d'ailleurs.

Christie sourit.

— Je suis persuadée, au contraire, que tu es beaucoup plus sûre de toi que tu veux bien le reconnaître. Es-tu vraiment honnête avec toi-même, Juliet ?

— Tout à fait, rétorqua la jeune femme d'un ton irrité. Je ne sais plus très bien ce que je veux, mais je peux te dire très clairement ce que je ne veux pas : le mariage ! Se marier équivaut à souffrir ; s'il doit me rester une seule conviction, ce sera celle-là.

Christie arqua un sourcil.

— Et du fait que le mariage est souffrance, tu déduis très logiquement qu'en t'abstenant de te marier, tu te places à l'abri de ladite souffrance, c'est bien cela ?

— Eh bien... oui.

— Juliet, as-tu étudié la logique ?

Prise au dépourvu, elle gratifia sa mère d'un regard méfiant.

— Naturellement.

— Dans ce cas, tu n'en as guère retenu les leçons. Quand on pose mal les questions, Juliet, on obtient de fausses réponses. Est-ce que Simon t'aime ?

Accablée, la jeune femme baissa la tête. Elle s'était sentie si coupable, si désorientée lorsqu'il lui avait avoué son amour.

— Alors, Juliet ?

— Oui, chuchota-t-elle.

— Et toi ?

— Eh bien.... Oui ! moi aussi, je l'aime, reconnut-elle à son corps défendant. Mais cela ne

271

veut rien dire! Tous les couples sont amoureux lorsqu'ils décident de vivre ensemble. Et combien d'entre eux résistent à l'épreuve du temps?

— Je serais bien incapable de te donner une proportion statistique, mais qu'importe?... Ce que tu refuses de comprendre, Juliet, c'est que ce n'est pas le mariage en soi qui provoque la souffrance, mais *l'amour*! Voilà où se situe ton erreur de raisonnement, ma chérie. Tu peux choisir de vivre ou de ne pas vivre avec Simon, de divorcer ou non, tu n'éviteras pas la souffrance. Alors pourquoi ne pas écouter ton cœur au lieu de te débattre avec ta raison? Tu peux rester ici des mois entiers, énumérer les « pour » et les « contre », et réfléchir jusqu'à en perdre la tête, ce n'est pas ton intelligence qui t'apportera une réponse.

Les yeux rivés sur l'océan, la jeune femme se voûta légèrement.

— Mais maman, je ne peux quand même pas prendre une décision pareille sur un... un coup de cœur!

— Il y a décision et décision, ma chérie; et certaines ne se prennent pas autrement. Mais c'est une constatation qu'il faudra que tu fasses par toi-même...

Christie mit son carnet d'esquisses dans son sac et se leva d'un bond.

— Me raccompagnes-tu à ma voiture?

— Mais, Christie! Tu ne vas pas rester un peu? Prendre un petit déjeuner avec moi? s'écria Juliet, soudain affolée à la perspective de rester seule en compagnie de ses doutes.

Sa mère lui entoura les épaules et la serra un instant contre elle.

— Une autre fois, ma chérie. Je crois que tu as un réel besoin de solitude, en effet. Simon a raison sur ce point. Il te connaît bien, Juliet...

Deux jours plus tard, la jeune femme n'avait toujours pas quitté la maison de la plage. Elle ne bougeait plus guère du séjour, à présent. Allait-elle finir par se pétrifier lentement à force de demeurer assise en tailleur à scruter l'océan infini d'un œil de plus en plus morose? se demandait-elle parfois, cédant au découragement. Juliet avait renoncé à réfléchir et, à fortiori, à comprendre. La souffrance était là, au fond d'elle-même, et c'était l'unique certitude qui lui restait.

En début d'après-midi, Juliet fut tirée de sa prostration par un vacarme bien particulier. Michael! Il n'y avait que lui pour grimper l'escalier à la vitesse d'un coureur de marathon à l'heure du sprint final. La jeune femme se leva d'un bond, un sourire lumineux aux lèvres. Le petit garçon tambourinait sur la porte.

— Entre, Michael! s'exclama-t-elle pendant qu'il reprenait son souffle.

— Ah non! Je ne suis pas venu pour entrer mais pour te faire sortir. Ils ne sont pas drôles chez moi, papa travaille, maman dort et cet idiot de Timmy ne la quitte plus, même pour la sieste! Viens t'amuser avec moi!

Juliet éclata de rire.

— Pourquoi pas?

De bien meilleure humeur, tout à coup, elle dévala les marches à la suite de son petit compagnon.

— On va faire des ricochets, d'accord? S'il te plaît, dis oui, Juliet!

Sans attendre sa réponse, il fouilla le sable du bout de sa chaussure, à la recherche d'un galet.

— Tiens, Juliet, prends celui-là, il ira tout seul.

Abasourdie, la jeune femme observait à la dérobée cet enfant débordant de vitalité. Etait-ce le même Michael qui avait pleuré sur ses genoux parce que sa mère le rejetait?

— Regarde-moi, Juliet! Hop là!

Il jeta le bras en arrière et le caillou fendit l'air avant de rebondir sur l'eau, décrivant trois arcs-de-cercle parfaits.

— Youpi! C'était beau, hein?

— Un coup de maître! A mon tour.

S'efforçant d'imiter son geste, Juliet plissa un œil et visa la surface plane au-delà du ressac. Mais son projectile heurta un banc d'algues et s'enfonça dans la mer sans même un rebond.

— Lamentable! commenta-t-elle en riant.

Michael la rassura d'un sourire condescendant.

— Cela ne fait rien, tu sais. Pour les filles, c'est plus difficile. Maman non plus n'y arrive pas très bien.

— Comment va-t-elle, Michael? s'enquit Juliet avec curiosité.

Les yeux de l'enfant étincelèrent de tendresse.

— Elle est encore un peu fatiguée, je crois. Mais elle nous a fait des gaufres ce matin, des vraies, comme avant. Je crois qu'elle va rester, cette fois, tu sais.

Une vague de compassion submergea Juliet. Comme les enfants étaient prompts à s'illusionner... C'était par trop cruel. Et il était de son devoir de le mettre en garde.

— En es-tu vraiment sûr, Michael?

— Sûr, non. Mais j'ai de l'espoir.

— Et si cela se passe mal? insista-t-elle, le cœur serré.

Il leva vers elle son petit visage serein.

— Eh bien... nous aurons eu au moins le moment présent. C'est déjà beaucoup, tu ne penses pas?

Les doigts de Juliet se crispèrent sur le volant comme elle s'engageait dans la rue en pente raide qui montait vers la maison victorienne. *Nous aurons eu au moins le moment présent...* Une logique enfantine, un peu simpliste même. Et pourtant, Michael lui avait donné une leçon, à elle, l'adulte. Une leçon de confiance et d'acceptation. Toute sa vie, elle avait vécu en fonction de l'avenir, elle avait organisé et planifié en vue d'éliminer le plus de contingences possibles. Maintenant, c'était sans projet préconçu, sans intentions précises qu'elle revenait à Simon. Une seule chose était certaine : elle rentrait à la maison. Ensuite... ensuite, ils verraient.

La voiture de Simon n'était pas là, constata Juliet un peu déçue. Mais il était encore tôt. Le cœur battant, elle prit son sac de voyage dans le coffre et s'engagea à pas lents dans l'allée. Elle regarda autour d'elle avec curiosité, comme après un long voyage. Une masse sombre à la droite du porche attira son attention. Intriguée, la jeune femme posa ses bagages et contourna l'escalier de bois.

Leur sapin de Noël! Privé de ses décorations, couché sur le côté, nu et solitaire! De toute évidence, Simon l'avait tiré par ici et se préparait à le laisser mourir. Les larmes aux yeux, Juliet contempla l'arbre condamné. Mais c'était le symbole de leur premier Noël passé ensemble. Comment Simon aurait-il eu le courage de le planter?

Envahie par une soudaine tristesse, Juliet se détourna et pénétra dans la maison. Leur maison. Celle où, plus que partout ailleurs, elle désirait vivre... La jeune femme posa son sac sur le lit défait, suspendit son peignoir dans la salle de bains puis, ne sachant que faire d'elle-même, redescendit à la cuisine. Celle-ci était presque terminée, nota-t-elle avec satisfaction.

Cédant à une impulsion, la jeune femme ouvrit un pot de peinture et commença à peindre les plinthes. Elle ne put s'empêcher de rire d'elle-même en mélangeant ses couleurs. Choisir une activité aussi triviale en ce moment déterminant de son existence! Mais le travail manuel réussit miraculeusement à l'apaiser. Juliet avait déjà terminé tout un côté lorsqu'elle entendit la clé de Simon dans la serrure. Le cœur battant, elle continua à passer son pinceau. Qu'allait-elle lui dire alors qu'elle n'avait encore rien décidé? Et s'il avait réfléchi de son côté? S'il avait résolu de renoncer à elle?

Il y eut un bruit de pas précipités dans le vestibule, puis Simon apparut sur le seuil. Il se figea net.

— Mais... tu peins! s'exclama-t-il, stupéfait.

Que devait-il en conclure? En tout cas, elle n'était pas venue faire ses valises pour repartir comme il l'avait craint. Mais cela signifiait-il pour autant qu'elle allait rester? Juliet avait pu tout aussi bien décider de terminer sa part de travail, avec le sens du devoir qui la caractérisait. La jeune femme leva vers lui un regard timide.

— Bonsoir, Simon. J'ai hésité à préparer le dîner, mais je ne savais pas si tu rentrerais ce soir.

— Je rentre chaque soir, murmura-t-il doucement. Et toujours avec l'espoir de te trouver enfin ici.

Refusant de demeurer dans l'incertitude une seconde de plus, il traversa la cuisine à grandes enjambées et lui saisit les épaules.

— Parle, Juliet. Pourquoi es-tu revenue?

D'une main tremblante, elle reposa enfin son pinceau.

— J'ai réfléchi longtemps et... je me suis aperçue que la seule chose dont j'avais vraiment envie, c'était de rentrer ici, chez nous.

Simon tomba à genoux à côté d'elle et la prit dans ses bras. Il ne l'avait pas perdue. Les interminables nuits d'attente et de doute avaient pris fin.

— Tu m'as manqué, Juliet, soupira-t-il. Mon Dieu, tu m'as tellement manqué...

Le cœur débordant d'émotion, elle s'abandonna contre lui.

— J'ai peur, Simon, chuchota-t-elle.

— Peur de quoi, Juliet ? De moi ?

— De moi-même surtout, je crois.

Simon renversa la tête pour scruter son visage. Enfin, elle admettait la réalité de ses craintes. Un pas énorme avait été franchi.

— J'ai peur du mariage, et j'ai peur parce que je t'aime, poursuivit-elle avec difficulté. Car je n'ai pas *décidé* de t'aimer. C'est arrivé, tout simplement. Oh ! mon Dieu, qu'allons-nous faire maintenant, Simon ? Rien ne prouve qu'un avenir commun soit possible.

— Mais rien ne prouve le contraire, non plus, ma chérie. Et nous ne le saurons jamais si nous n'essayons pas !

Il se tut, résistant à la tentation de prononcer des serments que personne, jamais, n'était assuré de pouvoir tenir.

— Je ne puis que te répéter ceci : il n'y pas de garanties, Juliet. C'est une question de confiance ; en toi, en moi, en nous.

Elle enfouit sa tête dans ses mains.

— Cela m'effraie terriblement, Simon... Seigneur, pourquoi est-ce donc si compliqué ? Pourquoi ne puis-je me marier et avoir des enfants comme tout le monde ? se rebella-t-elle.

— Tu n'es pas « tout le monde », ma Juliet. Et je commence à croire que ce n'est pas le mariage qui pose problème. Si tu veux mon avis, tu n'es pas encore prête à avoir un bébé.

Stupéfaite, Juliet se redressa.

— Mais c'est précisément pour cette raison que

je me suis mariée! Il y a une éternité déjà que j'ai formé ce projet et...

— Les projets ne sont pas immuables, tu sais. Nous avons des années devant nous. Mais d'abord: est-ce que tu m'aimes, Juliet?

— Je... je te l'ai déjà dit.

Il lui saisit le menton, la forçant à soutenir son regard.

— Non, Juliet, je parle de l'amour véritable, celui qui dure toujours.

Elle hésita. C'était la question qui l'avait torturée pendant tout son séjour au bord de la plage. Et soudain, il lui suffit d'interroger les yeux de Simon pour trouver la réponse...

— Oui, Simon, pour toujours. C'est pour cela que je *devais* revenir, chuchota-t-elle d'une voix à peine audible.

Il l'attira à lui, la berça longuement contre son cœur.

— Alors, nous réussirons, ma chérie. Nous allons prendre le temps, cette fois. Le temps de nous aimer, d'aller au restaurant, de nous faire la cour! La plupart des gens commencent de cette façon, après tout. Nous, nous avons débuté à l'envers, par le mariage!

Juliet sourit, frappée par la justesse de sa remarque.

— Tu as raison, Simon. Je n'osais pas me l'avouer, car cela me paraissait tellement contradictoire, mais je suis soulagée de ne pas être enceinte, finalement. Ce sera bien d'être deux pendant un certain temps.

— Et quand le bébé viendra...

— ... nous pourrons être trois sans nous perdre l'un l'autre, compléta-t-elle, radieuse. Oh, Simon, je n'ai plus vraiment peur, tout à coup!

Elle se blottit contre lui avant d'ajouter d'un ton solennel :

— Il y a encore une chose : notre arbre de Noël, je ne veux pas qu'il meure. Allons le planter dans le jardin, Simon. Il faut le mettre en terre, l'arroser...

— Et le voir grandir d'année en année, et vieillir avec nous. Allons-y tout de suite, ma chérie! Tant pis s'il fait presque nuit!

Ravie, elle bondit sur ses pieds. Sans qu'aucune explication ne soit nécessaire, il avait compris à quel point c'était important pour elle. Simon enfila son blouson, cherchant la clé de la cabane à outils dans sa poche lorsqu'il rencontra un objet insolite.

— Hé! regarde ce que je viens de trouver! Ceci n'a pas sa place dans ma poche.

Juliet rougit lorsqu'il lui tendit l'alliance en or.

— C'est vrai, murmura-t-elle comme il la glissait à son doigt. Je suis contente que tu l'aies gardée, Simon. A présent, je suis heureuse de la porter... parce que je t'aime...

Il scruta longuement son visage.

— Le jour où je t'ai offert cette bague, il y a eu le cérémonial, le voyage de noces. Qu'en penses-tu, Juliet, veux-tu que nous recommencions, que nous offrions à nos familles et amis une version revue et corrigée, et enfin authentique?

— Ah, non! ces choses-là, on ne les fait qu'une fois! protesta-t-elle avec emphase.

280

— Tout à fait d'accord avec toi. Alors, célébrons l'événement à notre façon.

Elle arqua un sourcil.

— C'est-à-dire ?

Avec un large sourire, il l'entraîna vers la porte.

— Réfléchis, quelle est la manière la plus romantique de symboliser un mariage ?

— Oh, Simon ! J'ai compris.

Ivre de joie, elle se jeta à son cou et leurs rires se mêlèrent.

— Va chercher la bêche, Simon. Nous allons planter un arbre !

Du nouveau chez Harlequin!

Trois grandes collections font peau neuve
avec un nouveau nom et une nouvelle couverture…

Collection Harlequin devient

COLLECTION AZUR

6 titres par mois

…tendre et envoûtante.

Séduction devient

COLLECTION OR

2 titres par mois

…intense et palpitante.

Tentation devient

COLLECTION ROUGE PASSION

4 titres par mois

…sensuelle et provocante.

Disponible en magasin dès maintenant.

Composé par Eurocomposition, Sèvres
Achevé d'imprimer en juin 1988
sur les presses de l'Imprimerie Bussière
à Saint-Amand-Montrond (Cher)
pour le compte des Éditions Harlequin

⬦H⬦

N° d'imprimeur : 4541 — N° d'éditeur : 2108
Dépôt légal : juillet 1988

Imprimé en France